D0786026

LES AIGLONS DE LORRAINE

Derniers romans parus dans la collection Intimité :

LA CALECHE FATALE
par Phyllis GORDON DEMARETS
LE POIGNARD
par Mary ROBERTS RINEHART
JEUX D'OMBRES
par Anne ELIOT
L'ADIEU AUX ARENES
par Eileen TURLAND
LE LOUP FATIGUÉ
par Glenna FINLEY
ON VOUS OBSERVE
par Penelope FIELD
TOUT HOMME EST UN ROI
par Anne WORBOYS
UN REVE NAIT, UN REVE MEURT
par Hilary FORD
ELLE S'APPELAIT FLEUR...
par Willo Davis ROBERTS
LE SALON DES JADES
par Janet Louise ROBERTS
UN AN AU BOUT DU MONDE
par Arlène HALE
LA TOUR NOIRE
par Barbara MICHAELS
QUELQUE PART DANS CETTE OBSCURE DEMEURE
par Jean Francis WEBB
LA POUPEE AUX YEUX D'OPALE
par Jean DEWEESE
SON DERNIER ROLE
par Edvina MARLOW

A paraître prochainement :

LA FRANÇAISE
par Barbara PAUL

Josiane PATRI

LES AIGLONS DE LORRAINE

LES EDITIONS MONDIALES
2, rue des Italiens — PARIS-9e

ISBN N° 2-7074-2393-9

CHAPITRE PREMIER

Une barque venait dont la proue fendait vivement le rideau de roseaux qui faisait de l'Ile-Verte un coin d'Eden oublié sur la terre. Isabelle de Malguerande se dissimula derrière la masse feuillue d'un grand saule échevelé et retint sa respiration.

Amadis Jamyn hésita un court instant puis d'un coup de rame sûre contourna l'îlot et s'éloigna rapidement. Avec un profond soupir de soulagement Isabelle se laissa choir dans l'herbe humide et ferma les yeux... « Que pouvait bien lui vouloir cet espion d'Amadis ? »

Depuis le mois de mai, elle n'était guère rassurée quant à la santé chancelante de Pierre de Ronsard, son parrain, poète et incorrigible rêveur, qui lui avait révélé ce séjour préféré des Muses.

— Eh ! Oh ! Isabelle ! Réponds-moi, je sais que tu es là !

Amadis revenait à la charge. Cet Amadis qu'elle détestait. Elle ne lui était reconnaissante que d'une chose : il avait cédé au poète deux ans auparavant le prieuré de Croixval, sous réserve d'une rente annuelle de 120 livres. Vendômois dans l'âme, Pierre de Ronsard, dès que le service de poète de cour le lui permettait, préférait le calme séjour de Croixval à tout autre séjour.

Amadis n'inspirait guère confiance à la fillette. Oh !

il était honnête mais débrouillard en vrai fils de Champagne. « A chacun ses moyens ! » répétait volontiers Hervane de Longy, cousine et gouvernante d'Isabelle.

— Belle ! Voilà une heure que je te cherche !

Isabelle se leva, une moue dépitée froissant ses lèvres boudeuses. Pour bien lui faire comprendre qu'elle ne voulait pas lui adresser la parole, elle s'adossa au plus beau saule de l'île, qu'elle avait surnommé Belle-Taille.

— Isabelle, mon petit, si tu consentais à m'écouter !

Elle le regarda sous le nez avec méfiance tandis que, s'accrochant à la branche d'un saule, il rapprochait sa barque de l'île.

— Tu as l'air tout drôle, souffla-t-elle, la gorge serrée, Parrain va-t-il plus mal ?

Lentement, le jeune homme secoua sa toison châtain. Dans ses yeux où, d'habitude, luisait une franche gaieté, pleurait une indicible tristesse. Les douze ans d'Isabelle étaient perspicaces, observateurs, d'une précocité gênante qu'elle tenait des lointaines racines italiennes des Malguerande.

— Parle ! hurla-t-elle. Sinon, je te fais chavirer !

« Va, se disait-il, elle est courageuse et saura toujours faire face ! »

— Allons, murmura-t-il, pas de larmes, pas de cris. Ecoute-moi !

Et elle l'écouta parler de ce père mourant qui réclamait sa présence et celle de Gilles, son frère aîné, gentilhomme de Monsieur, frère du roi, que la course aux honneurs et l'horreur de la vie des champs retenaient loin des siens, dans le sillage des princes.

— Viens, dit-elle au jeune homme.

— Ma petite fille ! Où étais-tu encore passée ? Mon tout-petit, si tu savais ! Ton père...

Echevelée, une femme courait vers Isabelle, bras tendus. Petite, frêle, passablement voûtée pour ses quarante-cinq ans, elle ressemblait à une vieille corneille mal nourrie. Isabelle se raidit et d'une main ferme repoussa les embrassades mouillées de sa cousine qui plongea son maigre visage dans ses mains.

— Il n'a pas souffert ! murmura-t-elle.

Droite, le corps douloureux, Isabelle gravit les degrés qui menaient à la salle basse du logis seigneurial. Solennels, muets, ils étaient tous venus, les métayers, les bûcherons, la cohorte des vignerons et des laboureurs. Les hommes avaient le chapeau de paille à la main, les femmes, le bonnet du dimanche. Ils attendaient, avec les loupiots nerveux qui braillaient et les chiens efflanqués qui aboyaient. Ils restaient immobiles avec la tristesse des purs, des humbles qui courbent l'échine devant l'évidence de la mort ou la rigueur d'une vie difficile. C'était cela qu'Isabelle lisait à livre ouvert sur leurs visages ravinés. Comme elle, ceux-là savaient qu'il ne sert à rien de pleurer. Et pourtant, leur maître, ils l'aimaient.

Catholiques ou protestants, fermiers ou simples laboureurs, jamais François de Malguerande n'avait agi différemment envers ses proches, ses pays — ses frères de terre, comme il les appelait. Premier levé tôt le matin, hiver comme été, il réveillait valets et paysans. Le plus souvent, devant l'âtre d'une chaumière l'attendaient son caillé et sa ration de pain de seigle. Toujours l'accompagnait un fidèle, tel le vieux Melin, le plus âgé des valets de ferme, braconnier de son état.

« Et voilà que plus jamais... Plus jamais, se répétait Isabelle, plus jamais de forêts, de chasses et de pêches, plus de grands rires cachés derrière les buissons » Le vieux Melin était là, avec les autres. Ses grosses mains aux doigts calleux qui serraient convulsivement un chapeau fané trahissaient sa détresse. Les yeux délavés qu'il levait vers elle, la petiote, frêle adolescente dans sa robe de lin couleur de beau temps — ses yeux disaient : « Plus jamais... »

— Isabelle...

Quelqu'un venait. Une voix si familière qu'Isabelle en frissonna.

— Parrain... souffla-t-elle d'une pauvre voix qui tremblait.

Elle luttait contre l'envie subite qui l'avait prise de se jeter contre la poitrine du nouveau venu, de s'y blottir tel un oisillon frileux. Elle luttait pour oublier qu'elle n'avait que douze ans, plus de mère, un frère aîné indifférent, qui sans doute ne viendrait même pas porter leur père en terre... Ronsard, paternel, entoura les rondes épaules d'un bras protecteur.

— Je suis là, mon tout petit, chuchota-t-il, je suis là.

Il la dépassait de deux bonnes têtes. Ses cheveux châtain clair coupés courts grisonnaient. En quelques mois de fièvres, lui, si vert, avait plus vieilli qu'au cours d'une vie qui comptait déjà quarante-cinq ans. Le poète courtisan, le toujours jeune adorateur des Dames de la Cour, s'était voûté.

La Franciade, cette auguste épopée que Charles IX lui avait commandée, prenait tournure. Il s'y était attelé malgré la fatigue. Et, quand elle le regardait comme en cet instant, Isabelle avait l'impression que rien au monde ne pourrait désormais l'éloigner d'elle et du Vendômois. D'une voix presque inaudible, elle supplia :

— Tu ne t'en iras pas, dis, tu resteras ?

Ronsard sourit tristement — un sourire machinal :

— Non, je ne partirai pas... Viens maintenant. Hervane et la bonne Thomassine nous attendent. Après tu boiras du lait chaud et nous parlerons.

Docile, Isabelle glissa sa petite main dans la grande main brune qu'il lui tendait et, relevant la tête, refoulant son chagrin à petites gorgées, elle sourit aux paysans.

*
* *

Après l'éclatante luminosité du jour, la pénombre qui baignait la chambre frappait d'angoisse ceux qui y pénétraient. Tout était consommé. Pour l'homme qui gisait là, corps déjà tendu par la rigidité cadavérique, l'heure avait sonné.

Assise dans le coin le plus sombre de la pièce, Isabelle fixait d'un œil gros de larmes contenues ce vaste lit aux quatre coins duquel brûlaient de beaux cierges blancs.

A la tête du lit, le chapelain psalmodiait l'acte d'Espérance. Amadis Jamyn récitait les répons.

Debout près d'Hervane, Ronsard méditait. Il voyait partir un ami de toujours, un frère. François était celui près de qui il avait grandi, le compagnon de tous ses jeux, son complice au Collège de Navarre, puis à l'Ecurie du duc d'Orléans. Quand une surdité précoce était venue lui interdire les plaisirs virils des armes, la force calme de son ami l'avait réconforté. Dans son cœur, la place occupée par François était la meilleure, juste à côté de celles qu'il concédait à Joachim du Bellay, son cousin trop tôt disparu, et à Rémy Belleau, son pareil.

Dans son coin, Isabelle remua faiblement. Ronsard crut l'entendre gémir. Il s'avança vers elle, les mains tendues :

— Ma biche, il ne faut pas pleurer. Il est heureux, notre François...

Isabelle fronça son petit nez tout en secouant ses tresses.

— Je ne pleure pas, se défendit-elle, tu vois bien ; mes yeux sont secs.

Sa voix s'était brisée. Elle ravala les larmes que pour rien au monde elle n'aurait voulu verser.

— Alors, moi je dis, quand on pleure c'est qu'on refuse de souffrir, c'est... qu'on rejette sa propre douleur...

Sur le visage pensif du poète, un sourire apparut.

— Ce n'est jamais que de l'eau. François disait vrai. Quand donc se trompait-il, du reste ?

. . . .

Pierre de Ronsard frappa à la porte ouvragée de ferrures et l'ouvrit sans attendre.

Elle ne pouvait que s'être réfugiée là, Thomassine était formelle : dans cette chambre aux tentures vieillottes, « son refuge », l'endroit où elle se plaisait entre tous.

Elle était bien là, à plat ventre sur le lit aux courtines ouvertes. Du seuil, il prit le temps de la contempler dans le charmant désordre qu'elle offrait aux regards. « Et voilà que j'ai charge d'âme, songea-t-il. Tu t'en es remis à moi, François, mon ami. D'elle, ta fille, que ferai-je ? »

La réponse était toute prête. Il avait cent fois reculé l'instant de parler à François, dont il connaissait les goûts et les fermes résolutions.

— D'Isabelle tu ne feras rien de plus qu'une femme honnête et simple, une femme saine ! J'ai arraché Jeanne à sa vie dissolue, ce n'est pas pour que vingt ans plus tard...

Ronsard hochait la tête. « Oui, oui, François, mon ami, tes raisons étaient bonnes mais il y avait longtemps que tu ne vivais plus avec ton temps. Les mœurs ont changé. Et qu'aurais-tu voulu pour ta fille ? Une vie de recluse ? Qu'elle épouse quelque hobereau, un quelconque bailli ? Non, François, ne t'en déplaise, pour elle j'ai toujours vu grand. Je mettrai la Cour à ses pieds. La plus belle, la mieux aimée. Elle sera si heureuse, François, que jamais tu ne me garderas rancune de ne pas t'avoir écouté... »

Et comme Isabelle se redressait un peu, buste penché vers lui, le guettant de ses yeux de chat, il sourit et répéta tout haut :

— La reine de la Cour...

∴

Parce que de la rive droite de la Loire, Blois était inaccessible, Isabelle et son compagnon avaient traversé le fleuve en bac. Un soleil pâle glissait entre les feuillages, nimbant d'un or terne les contours des maisons, lorsqu'ils arrivèrent à cheval dans la ville des comtes. Isabelle, bien droite sur sa petite jument d'Espagne, regardait de tous ses yeux la ville où se plaisait tant le roi de France. Des maisons claires, aux toits d'ardoises, presque empilées les unes sur les autres, miraient leurs façades rustiques dans les eaux argentées de la Loire. Plus haut, déchirant le ciel, se dégageait l'enceinte du château. Séparé de la ville par une excavation, c'était une masse assez indistincte et, du point où elle se trouvait, Isabelle avait du mal à l'imaginer dans sa magnificence.

— Fatiguée, Demoiselle ? s'informa galamment son compagnon, le seigneur Anne de Chelles, qui avait reçu mission de la conduire à Blois.

Isabelle secoua la tête. Elle avait soif, faim, chaud, mal partout, mais luttait vaillamment contre ces faiblesses.

Se plaint-on quand, à quinze ans, un avenir des plus brillants vous tend les bras ? Mais on peut sans fausse honte ressentir le mal du pays, le mal de l'enfance qui vous a si subitement quittée... Et c'était le cas d'Isabelle.

Le vent apportait l'odeur fade de l'eau et des parfums sucrés des vignes. On apercevait des moulins, des filets étendus.

— Fatiguée, Demoiselle ?

Isabelle renifla douloureusement. A quoi bon jouer les bravaches ? Soudain le vernis craquait, les bonnes résolutions s'envolaient. Elle avait mal, un point dans la poitrine qui l'empêchait de respirer. Elle avait peur aussi.

Que faisait-elle loin du Mesnil, loin des bras de la bonne Thomassine, loin d'Hervane et du vieux Melin ?

En prenant la route de Vendôme, le matin, elle s'était dit, que « tout irait bien ». Le simple fait de revoir son parrain, qui n'avait pas pu quitter la Cour depuis un an, suffisait à lui insuffler du courage. Mais, au fur et à mesure que Blois et l'heure de sa présentation à la Cour approchaient, le bleu du ciel s'était considérablement obscurci jusqu'à devenir d'un noir chargé d'orage.

Jamais elle ne serait à la hauteur de la situation... Voilà ce qu'elle ne cessait de se répéter !

Son parrain avait beau dire, malgré les leçons d'Hervane et les multiples recommandations d'Annette, la gentille femme de Louis de Ronsard, elle n'était pas prête ! D'ailleurs jamais elle ne le serait...

Anne de Chelles avait mis pied à terre. Il secoua sa courte cape de velours vert mousse qu'assombrissait une vilaine couche de poussière. D'un coup de poing rageur il enfonça sa toque sur ses yeux.

Grand, d'une extrême minceur, le visage même du paladin, la peau tannée par le soleil, il possédait un charme presque féminin. Il était beau, mais Isabelle ne s'en souciait guère ! A quinze ans, on a d'autres chats à fouetter, du moins l'entendait-elle ainsi !

Crispée, elle ne songeait qu'à cette journée mémorable où elle serait reçue par la Reine-Mère ! Son parrain lui avait rappelé cent fois l'événement dans ses dernières lettres :

« *La Reine-Mère enfin s'est décidée ! Une fois en sa présence, il te suffira de ne parler que lorsqu'elle t'interrogera, de répondre avec franchise et modestie, sans fierté, de baisser les yeux quand elle te l'ordonnera, bref, d'obéir en tout... Voilà trois années, ma Biche, que j'œuvre pour ce jour : ne me déçois pas !* »

Et il n'y avait pas six jours de cela, sa toute dernière missive.

« *J'apprends à l'instant que mon jeune ami, Anne de Chelles, de retour depuis peu de Constantinople, a reçu pour mission de venir te chercher. Tiens-toi prête pour le 2 ou le 3 septembre. Je ferai en sorte de pouvoir guetter ton arrivée le matin de ta présentation à Sa Majesté.* »

Anne de Chelles s'avançait, et levait sur Isabelle un regard vaguement amusé.

— Allons, ne vous désespérez point ! Nous sommes au bout de nos peines ! Et pour vous permettre de patienter jusqu'à demain avec bonne humeur, songez à la chance qui vous est offerte ? Pour ma part, cadet sans fortune, je dois tout à Notre Bonne Mère la Reine. Comment aurais-je pu acquérir la charge de secrétaire-interprète, attaché à l'ambassadeur du roi à Constantinople ? Sans l'extrême bonté de Sa Majesté, je ne serais rien de plus qu'un petit hobereau !

Isabelle, pour toute réponse, baissa la tête.

« Oui, qu'aurait-elle pu souhaiter d'autre ? Demoiselle de la Reine-Mère ! La charge était moyennement rémunérée mais l'on savait la Reine-Mère généreuse. Jamais les Filles d'Honneur n'avaient eu à se plaindre de son avarice. Etaient punies ou chassées celles qui le méritaient, récompensées les autres.

Interrompant le cours de ses pensées, elle sourit à son compagnon :

— Parlez-moi de la Cour, dit-elle. Je sens que je vais y être un peu perdue.

Ce fut au tour d'Anne de Chelles de sourire :

— Il me semble qu'une bonne table dans une bonne auberge serait un cadre plus approprié à une discussion qui promet d'être longue ! Si nous descendions à l'auberge de la Croisille ?

Isabelle, trop heureuse de cette offre inespérée, acquiesça avec bonne humeur.

***

Hautaine, bien droite sur son banc, Isabelle promena autour d'elle un regard olympien. Ils étaient assis à la table des hôtes, dans l'auberge.

— Et alors ? chuchota-t-elle à son compagnon. Nous parlions de madame la princesse de la Roche-sur-Yon, gouvernante des demoiselles de la Reine-Mère... Est-elle aussi terrible qu'on le prétend ?

Anne de Chelles haussa les épaules.

— Elle n'est pas méchante, non, sévère tout au plus. Il suffit de lui obéir sans broncher car elle n'admet pas l'insolence, moins encore les bavardages ou l'immoralité !

Obéir. Combien de fois Isabelle n'avait-elle pas entendu cette recommandation ! Elle était bien assez raisonnable, à quinze ans, pour être maîtresse d'elle-même ! »

Anne de Chelles poursuivait sur sa lancée :

— La princesse de la Roche-sur-Yon, autrement dit Madame de Montespédon, est une très grande dame, dans le sens de la vertu et de la discipline. Elle en a maté plus d'une !

La soirée s'avançant, l'atmosphère se réchauffait agréablement. De joyeux rires fusaient. Le gradué puisait dans son gobelet de vin le courage de jeter de furtifs coup d'œil enamourés vers Isabelle.

Les voyageurs étrangers restaurés revenaient frais, dispos et lavés. Sans ouvrir la bouche, ils prirent place à une petite table, loin de la longue table d'hôte.

— Mais vous devriez les connaître ? s'étonnait Anne de Chelles. La colonie germanique est fort nombreuse à Orléans. Ne dit-on pas qu'elle forme une véritable nation, avec son organisation, ses privilèges et sa juridiction à part ?

Anne de Chelles, un poing sous le menton, réfléchissait. Isabelle l'observait à la dérobée, vexée d'être si cavalièrement délaissée. Son appétit enfui, elle contemplait sans grande envie les andouilles couvertes de moutarde fine et le gros chapon rôti.

— Un peu de vin, Demoiselle ?

Anne de Chelles, enfin, consentait à s'occuper d'elle !

— Je dois vous parler de la duchesse d'Uzés ! reprit-il brusquement. C'est la très grande amie de Sa Majesté. Plaisez-lui et vous plairez à la Reine-Mère.

— N'est-elle pas un peu huguenote ? insinua Isabelle avec timidité.

Il rit de sa mine effarouchée.

— Disons, pour être juste que cette bonne âme

oublie parfois l'heure de la messe et nous serons plus près de la vérité. Je peux même dire qu'elle fut une mère pour moi ! J'arrivais à la Cour en 1560. J'avais neuf ans. J'avais peur de tout ! Je ne savais rien ! Mon père était endetté et à sa mort, il préféra laisser les miettes du patrimoine à mon frère aîné afin qu'elles ne soient point éparpillées.

Il poursuivit le récit de ses voyages et de ses fortunes diverses.

— Lorsque ma mère se rappela au bon souvenir de la duchesse, à l'époque madame de Crussol, cette bonne âme remua ciel et terre. En 1561, après l'avènement de Charles IX, la Reine-Mère accepta de me doter afin que je puisse poursuivre mes études. Je servis dès lors Monsieur. Dans sa maison, je fis d'ailleurs connaissance de votre frère Gilles de Malguerande qui, bien que plus âgé que nous tous, participait volontiers à nos divertissements.

« L'année suivante, j'entrai au Collège de Navarre pour trois ans puis partis pour l'étranger. Revenu en France en 1568, je me vis confier la charge très enviée de secrétaire-interprète auprès de l'Ambassadeur Monsieur de Grandchamps et m'installai à Constantinople. Quant à mon frère Raoul, il augmenta ses maigres rentes en faisant campagne un peu portout avec le duc de Guise. Après la paix de Saint-Germain, il acheta une charge de capitaine des gardes royaux : je crois qu'il ne se débrouille pas mal. Le roi l'aime beaucoup.

Il sourit, sans doute un peu confus de s'être ainsi laissé aller à parler de lui.

— Voilà toute mon histoire ! Nous avons des points communs, je crois ?

Isabelle baissa les yeux. Peu à peu, elle se décontractait. Il était gentil, après tout ! Son parrain en avait toujours dit le plus grand bien.

— Oh ! J'accepterai très volontiers qu'en vertu de cette ressemblance, vous m'aidiez un peu ! Je vais me sentir dépaysée, un peu seule et perdue. Je sais que mon parrain n'aura guère de temps à me consacrer.

Chelles approuva :

— Oui, la Franciade est bien avancée. Ces jours-ci, Amadis Jamyn, qui en a écrit les arguments en prose, les lira au Roi. Il y ajoutera quelques sonnets de son crû. Après cette performance, le Roi pourrait fort bien nommer Amadis « secrétaire et lecteur-ordinaire de sa chambre ». C'est du moins ce que notre ami espère !

Isabelle grimaça mais se garda bien de dévoiler le fond de sa pensée au jeune homme. De toute façon, qu'elle approuve ou non, l'ambition d'Amadis ne le concernait pas !

— Amadis a fait du chemin depuis la dernière fois que je l'ai vu, soupira-t-elle. N'est-il pas déjà valet de chambre du Roi ?

— Il est surtout resté le secrétaire de votre parrain.

Isabelle qui gardait « une dent » contre Amadis depuis de longues années, ne l'entendait pas de cette oreille. Elle prit une profonde inspiration.

— Vous trouvez naturel qu'un Jamyn, sans réel talent, abuse de la générosité de mon parrain pour creuser sa niche ? Mais... c'est ignoble !

Il la regarda avec indulgence :

— Vous croyez ? Vous connaissez mal la vie de Cour, Demoiselle ! Avec tant de naïveté, vous serez dévorée toute crue !

» Sans appuis, à la Cour, nul ne saurait réussir ! Seul, vous êtes irrémédiablement perdu, enterré, oublié ! Ce que je tenais à vous faire comprendre, c'est qu'il va vous falloir du courage, tenir bon, serrer les dents quoiqu'il arrive et, si vous le pouvez, vous ménager d'autres soutiens que ceux dont vous bénéficiez déjà. Ne pas avoir peur d'aller jusqu'au plus haut, d'importuner les princes quand vous sentez qu'ils ont de l'amitié pour vous ! Comme Amadis, comme les autres, vous allez devoir vous battre, comprenez-vous ?

Soudain, il lui apparaissait sous un autre jour, plus proche d'elle et de ses problêmes, infiniment bon.

Oubliant les convenances, profitant de l'instant de grâce qui les rapprochait, il s'était emparé de l'une de ses mains blanches qui reposaient sur la nappe. Prise de court, Isabelle en demeura interdite. Un bizarre petit frisson la traversa. Elle rougit jusqu'à la racine des cheveux. Brusquement, il l'intimidait. Brusquement, elle se rendait compte qu'il était jeune, beau, et que son regard était éloquent.

— Je vous ai observée en chemin, murmura-t-il. J'ai été étonné. Je ne vous imaginais pas ainsi. Ronsard m'avait tant parlé de vous ! Je voyais une jeune personne téméraire et arrogante, prête à dévorer la vie à pleines dents ! Mais vous êtes tout le contraire d'une conquérante !

Il resserra la pression de ses doigts. Isabelle sentit venir les larmes. Elle se mordit les lèvres, au supplice.

— Suivez mon conseil, souffla-t-il encore. Vous n'êtes pas faite pour cette vie ! Vous serez vite déçue, blasée ! Il y a tant de promesses en vous, ne les gâchez pas...

Isabelle retira sa main avec brusquerie.

Ces propos la plongeaient dans un vaste océan de contradictions. Elle n'avait plus faim, elle se leva, très vite :

— J'ai sommeil tout-à-coup... pardonnez mon impolitesse.

Elle n'avait plus qu'une hâte, être seule !

CHAPITRE II

C'était un clair matin d'automne, roussi de feuilles, au ciel délicatement safrané.

Isabelle avait soigné son apparence : elle avait revêtu la plus belle toilette de sa pauvre garde-robe de provinciale. L'étoffe de cette robe avait été découverte par Hervane, chez un drapier de Vendôme. Avec l'aide d'Annette de Ronsard, Thomassine l'avait taillée. Il en ressortait un chef-d'œuvre

Isabelle était assez fière du résultat obtenu. Et puis le bleu lui allait bien, elle le savait ! A sa ceinture, elle avait pendu une aumônière de velours, présent de son parrain. Elle avait laissé ses cheveux sur les épaules, simplement retenus par un lien de velours bleu.

Et dans les yeux d'Anne de Chelles, elle lut qu'elle était belle.

Ils laissèrent leurs chevaux dans le faubourg du Foix, rue des Ecuries du Roi, puis, à pied, grimpèrent de ruelle en ruelle vers la place du château.

Isabelle ouvrait grands ses yeux et ses oreilles. Elle n'avait jamais vu tant de choses à la fois !

Les petits marchands, avec leurs étals démontables, étaient semblables à ceux de Vendôme, mais l'animation de la ville l'emportait sur celle de la cité des ducs.

Rue Saint-Lubin commençait la rampe du château.

Pratiquée dans le roc, elle était la seule communication entre le château et la ville. C'était une pente abrupte et inégale, à l'escalade de laquelle on risquait cent fois de se rompre le cou. Malgré cela, ils furent vite arrivés.

Dans l'avant-cour du château, grouillante de vie de bon matin, se groupaient de beaux hôtels particuliers, des logis réservés aux courtisans et une église avec une chapelle timide qui semblait s'y cacher.

Passée la poterne qui flanquait la porte charretière, Isabelle et Anne de Chelles se retrouvèrent dans une vaste cour, mi-pavée. Et, tout de suite, se détachant d'un groupe de gentilshommes, un colosse, rouquin et frisé, vint à leur rencontre.

Isabelle le trouva plutôt laid, quoique élégant et d'un abord jovial. Sa carrure impressionnait.

— Anne ! s'exclama-t-il en avançant vers eux... Anne de Chelles ! Où étais-tu passé ? Nous en discutions hier, au Cercle de la Reine-mère et chacun gageait cent livres que...

La bouche ouverte, il s'interrompit. Il venait d'apercevoir Isabelle qui ne savait quelle contenance prendre. Il prit le temps de la dévisager avec une certaine insolence.

— Morbleu ! Je comprends tout ! rugit-il en prenant Anne de Chelles par les épaules avec familiarité, puis, plus bas, la mine gourmande :

— Mes compliments !

Le jeune homme se dégagea rapidement.

— Louis, mon bon, tu n'as rien compris ! cingla-t-il.

— A ces conditions, dit l'autre, présente-moi !

Et, sans attendre l'assentiment d'Anne de Chelles, d'un pas conquérant, il s'avança vers Isabelle, sourire aux dents.

Rougissante, elle fit un court salut. La main sur le cœur, le gentilhomme s'inclina. Anne de Chelles était pâle et Isabelle se demanda bien pourquoi.

— Le sieur Le Guast, capitaine des Suisses de

Monsieur, jeta-t-il, la Demoiselle de Malguérande, filleule de notre « prince des poètes »...

— Mon parrain m'a énormément parlé de vous, dit Isabelle en souriant.

Le Guast ferma les yeux à demi, la fixant avec une sorte de férocité :

— Nous sommes bons amis, il est vrai, Pierre et moi, murmura-t-il. En vous voyant, je sens que je l'aime de moins en moins ! Pourquoi, diantre, vous a-t-il tenue cachée si longtemps ?

Anne de Chelles rit jaune et hardiment se jeta entre Isabelle et Le Guast.

— Halte-là, Louis ! articula-t-il. Tu étais bien la dernière personne que j'aurais aimé croiser ce matin ! Mais puisque le mal est fait... Tu ne vas tout de même pas abreuver cette enfant de tes habituelles impertinences ?

— Mademoiselle de Malguérande a peut-être son mot à dire, ne crois-tu pas ?

Anne de Chelles rougit. Machinalement, il porta la main à son épée.

— Justement, Louis ! Mademoiselle de Malguérande n'a plus rien à te dire !

A ces mots, Isabelle, qui commençait à en avoir assez des grands airs protecteurs d'Anne de Chelles, sursauta, comme piquée par un taon.

— Ah ! Mais non ! protesta-t-elle avec fougue. La conversation de monsieur Le Guast me plaît, bien au contraire et je serai heureuse de le revoir !

Livide, Anne de Chelles, la harponna par un bras, la tirant vers lui :

— Taisez-vous donc, gronda-t-il, vous ne savez même pas à qui vous avez à faire ! (Et, plus haut, à Le Guast) : Je suis à toi dans cinq minutes ! Le temps de déposer mademoiselle et je reviens !

Le Guast éclata d'un rire sonore.

— Ah ! Blondin ! railla-t-il... Je vais te tailler en pièces !

— Nous verrons bien, Louis !

Anne de Chelles l'entraînait au pas de charge vers une tourelle d'escalier. D'un bout à l'autre de l'édifice courait une galerie.

— Vous marchez trop vite ! se plaignit Isabelle d'une voix tremblante.

Anne de Chelles ricana entre ses dents sans même tourner la tête vers elle :

— C'est parce qu'il est mon ami que je peux vous avertir. Si Ronsard l'aime, c'est une affaire d'hommes, ne vous en mêlez pas ! Et, un bon conseil : évitez-le autant que possible !

Isabelle s'arrêta, le toisant avec hargne :

— Quand aurez-vous fini de me traiter comme une enfant irresponsable ?

— D'ici cinq ou six minutes, je pense, dès que ma mission accomplie, je pourrai me débarrasser de votre encombrante personne ! Et, croyez-moi, il n'y aura pas d'homme plus soulagé que moi !

Furieuse, elle baissa les yeux... Ah ! Il se croyait malin ! Eh bien, elle reverrait Le Guast !

— Marchez, dit-il d'un ton bourru, au lieu de débiter des sottises plus grosses que vous ! Pour l'instant, préparez-vous, nous sommes arrivés !

Et c'était vrai. Après avoir traversé une belle et vaste salle aux murs tendus de cuir, glissé sur un parquet rutilant comme un miroir, ils arrivaient enfin devant la porte des appartements privés de Sa Majesté.

A la suite du jeune homme, Isabelle, tremblante d'appréhension, s'engouffra dans l'ombre parfumée d'un cabinet de toilette. Des femmes de chambre et des servantes subalternes en bonnets blancs et empesés s'y affairaient, parlant bas. On apercevait des coffres entrouverts sur des trésors de soieries et de dentelles, des cuves, des bassins d'argent...

Une femme, petite et sèche vint vers eux. Elle était vêtue de noir. Isabelle remarqua une quantité de clefs de toutes tailles accrochées à sa ceinture.

— Ah ! Madame Gondi ! dit Anne, tout bas... Vous nous guettiez ?

— Rassurez-vous, répondit la femme, avec un fort accent italien, Sa Majesté est de fort bonne humeur ce matin !

Isabelle, immobilisée par la peur, se sentait incapable de faire un pas de plus...

Madame Gondi ouvrit la marche. A sa suite, trottinant du mieux qu'elle pouvait derrière Anne de Chelles, Isabelle plongea dans un monde de confusion et de battements de cœur.

La chambre de la Reine-Mère était grande. Aurait-elle la force de faire encore un pas ? Elle ne voyait plus rien, n'entendait plus rien. Un voile noir passa devant ses yeux.

— Madeleine ? Est-ce vous ? entendit-elle.

La voix était ample et mélodieuse. Une voix de femme aux intonations chantantes.

— Anne de Chelles ! Laissez-nous un instant, mon fils ! J'aurai à vous parler plus tard ! Pour l'instant, il me reste quelques lettres à signer.

Dans l'esprit d'Isabelle, tout se brouillait. Avec l'affreuse sensation d'être ridicule, elle se sentit partir à la renverse sans pouvoir se retenir.

— Mon Dieu ! entendit-elle à travers un brouillard, mais cette enfant s'est évanouie ! Madeleine ! Vite !

Isabelle avait perdu complètement connaissance.

⁂

Quand elle revint à elle, Isabelle était confortablement installée dans un fauteuil, Mme Gondi lui tamponnait délicatement le front avec un linge humide. Une insoutenable odeur de camphre lui sauta aux narines. Rouge comme une pivoine, elle éternua plusieurs fois de suite.

Madame Gondi souriait.

— Laissez-la donc se reposer ! disait la reine.

— Entendez-vous Sa Majesté ? murmura Mme Gondi avec un bon sourire... Ne bougez pas.

Trop heureuse de cet instant de répit, Isabelle osa lever les yeux, et vit Catherine de Médicis... !

La Reine-Mère était assise à son écritoire, penchée sur un prodigieux monceau de lettres et de dossiers. A ses côtés, dans l'attitude parfaite du serviteur zélé, un jeune homme de gris vêtu. La Reine-mère était une femme grasse à la lourde poitrine, toute vêtue de noir. Elle avait un nez fort, busqué, un large front, des yeux globuleux, un menton fuyant qui s'empâtait. Elle n'était pas belle. Elle n'avait jamais dû l'être. Mais c'était bien là la jeune femme qu'avait accueillie avec bonté le roi François Ier, et que son époux, le taciturne Henri II, avait trompée sa vie durant avec la splendide Diane de Poitiers, plus âgée que lui de vingt ans.

Catherine de Médicis releva la tête. Elle paraissait soucieuse.

— Villeroy, dit-elle soudain, passez-moi donc le dossier d'Angleterre. Il faut que j'écrive à ma bonne cousine Elizabeth ce matin ! Ce que m'apprend Fénelon dans sa dernière missive n'est guère encourageant !

Déférent, le secrétaire présenta une pile de lettres à sa souveraine.

Il était bien tel que Madeleine, sa femme, l'avait décrit et c'est pourquoi Isabelle avait l'impression de le connaître !

Isabelle sursauta et tomba plus qu'elle ne glissa pour sa première révérence. C'était raté ! Elle atterrit sur les genoux.

— Allons, allons, disait Catherine de Médicis, relève-toi !

Isabelle, plus morte que vive, obéit. Son sang frappait si fort ses tempes que, la tête en feu, aveugle, sourde, elle n'entendait plus que ce bruit de tonnerre qui roulait comme un tambour. Elle devait être rouge comme une cerise. Ses joues brûlaient. Mais soudain Catherine de Médicis éclata de rire.

— Villeroy ! s'exclama-t-elle, que dites-vous de

ceci ? Ronsard est un fameux coquin !... Bellissima ! reprit-elle en caressant la joue d'Isabelle, éberluée, je vois que les fleurs du Vendômois sont toujours parmi les plus belles ! Nous en ferons quelqu'un !

Familièrement, elle attrapa Isabelle par un bras, l'amena à la lumière, près de la fenêtre, releva son menton d'une main autoritaire.

— Et modeste, ajouta-t-elle en la voyant baisser les yeux. C'est bon, mais ne le sois point trop, enfant ! Il faut un temps pour tout et quand on possède des yeux comme les tiens, on ne les cache pas !

Elle laissa retomber sa main. Après sa bouffée de bonne humeur, sa lassitude revenait. Son front se plissa. Son lourd menton s'affaissa sur la blancheur de la fraise rigide. Elle ferma à demi les yeux :

— Va, maintenant. Ton parrain t'attend dans l'antichambre. J'enverrai quelqu'un te chercher.

A reculons, Isabelle s'effaça.

***

Dans l'antichambre pleine de monde, Isabelle trouva Pierre de Ronsard en grande conversation avec Anne de Chelles.

Dès qu'elle l'aperçut, sans tenir compte du lieu ni du voisinage indiscret des solliciteurs qui s'y pressaient, Isabelle se précipita dans les bras de son parrain, pleurant et riant à la fois.

— Mon tout petit, enfin !

Il la tenait à bout de bras. Il avait l'air heureux, rajeuni.

Isabelle nota avec un petit pincement au cœur, que sa barbe était à présent toute grise et qu'il avait perdu quelques cheveux.

— Comme te voilà grandie ! Ah ! Je t'espérais belle mais tu dépasses tous mes rêves ! Anne, n'est-elle pas la plus jolie rose de France ?

— Certes ! Mais aussi la plus entêtée, ajouta-t-il non sans malice.

Pour couper court, Isabelle passa son bras sous celui du poète :

— Ne l'écoute pas ! Viens plutôt... J'ai tant de choses à te raconter ! Sa Majesté a été merveilleuse ! J'étais si anxieuse. Je me suis évanouie... Tu te rends compte ?

Ronsard riait.

— Bref, tu as réussi ton entrée dans le monde !

— Et toi ? dit-elle enfin, se rendant soudain compte de son égoïsme.

— Moi ? J'attends depuis l'aube dans cette antichambre une entrevue problématique. La Reine-Mère doit me recevoir avant tous les autres, mais elle a tant de travait ce matin !

Isabelle fronça son nez.

— Est-ce important ? Je veux dire, ce qui t'amène ?

— Certes oui ! Croixval va m'être rétrocédé sous peu ! L'affaire est en bonne voie.

Il consulta la grosse montre ronde qui pendait à son cou.

— Il va être l'heure de la messe. Attends-moi, si tu le peux, sinon nous nous verrons cet après-midi, au Cercle de la Reine-Mère ?

***

— Monsieur de Ronsard ?

Un huissier s'approchait d'Isabelle et du poète.

— Sa Majesté vous attend...

Ronsard embrassa Isabelle sur le front.

— A tantôt, petite. Tu restes là ?

— Oui, Sa Majesté m'enverra chercher plus tard.

— Mademoiselle de Malguérande ?

— Oui...

Une femme, de noir vêtue, s'approchait d'elle.

— Jehane de Halluin, Dame d'Alluye, se présenta-t-elle avec un large sourire. Je suis Dame d'Honneur de Sa Majesté. Suivez-moi, madame de Montespédon vous attend.

Sans se retourner, Isabelle emboîta le pas à la Dame d'Honneur. La tête bien droite, elle avançait, un sourire au coin de ses lèvres. Et c'était comme si elle marchait vers le Mont Olympe...

***

— Dépêchez-vous, mesdemoiselles, allons !

Dans la galerie d'honneur des appartements de la Reine-Mère, mademoiselle de Boisbenet, sous-gouvernante des demoiselles, rassemblait le troupeau bavard et excité que formaient ses nobles pensionnaires.

L'heure du bal approchait. Sa Majesté n'allait plus tarder.

Au cercle de la Reine-Mère, Isabelle n'avait pas vu Ronsard. Mais Amadis, qui papillonnait autour des demoiselles, l'avait excusé ; il serait au bal, comme tout le monde. La pétulante Anna d'Atri poussa Isabelle du coude :

— Regardez bien ! pouffa-t-elle derrière les plumes soyeuses de son éventail, d'ici quelques instants, Françoise et Renée vont en venir aux insultes les plus basses, puis aux mains... !

— Oh ! Vous plaisantez ?

Isabelle jeta un regard plein d'incrédulité à sa nouvelle amie : brune, piquante, mince comme une liane, des yeux noisette et toute la fougue du Royaume de Naples dont elle était originaire, Anna était vraiment un boute-en-train. Isabelle cependant, la soupçonnait d'un peu forcer la gaieté naturelle de son caractère.

— Renée ! Ma chère ! Vous le faites donc exprès ? s'impatientait une jeune femme blonde, avec une moue méchante qui en disait long sur ses sentiments.

Isabelle les observa, étonnée : les deux jeunes femmes étaient d'une beauté un peu semblable.

— Si, si, vous dis-je ! confirmait Anna avec un petit rire sans indulgence. Ces deux-là se détestent cordialement !

Isabelle tombait des nues, car, Françoise n'était autre que la marquise de Cœuvres, femme du maître de l'artillerie et mère de famille !

Hélène de Fonsèque, demoiselle de Surgères, leur cousine, se tenait près d'elles, sage et triste. Interceptant le regard d'Isabelle, elle lui adressa un petit signe d'amitié. Isabelle y répondit car elle l'aimait déjà beaucoup, cette Hélène qui pleurait encore un fiancé, mort à la dernière guerre.

Il y eut un remous soudain parmi les demoiselles. Catherine de Médicis apparut. Elle n'avait pas changé de toilette. Son habit de deuil tranchait singulièrement sur les couleurs des toilettes des Dames qui l'accompagnaient.

La première qui se tenait à ses côtés c'était la duchesse Diane de Montmorency. La duchesse d'Uzès suivait, petite souris grise aux yeux pétillant de malice dans un visage empreint de bonté.

Avec un œil noir, la Reine-Mère passa « ses troupes » en revue, tel un général à la veille d'une bataille.

Isabelle lui trouva l'air soucieux :

— Mademoiselle de La Mirande !

L'interpellée se troubla :

— Ma fille ! Je n'aime pas votre robe ! Cachez-moi ces seins !

La fille, rougissante s'abîma dans une révérence chancelante.

— Et ne vous réjouissez pas, mademoiselle de Montal ! ajoutait Catherine de Médicis, en s'arrêtant devant une petite boulotte aux cheveux montés en brioche, qui riait en douce :

— Votre coiffure ! Où donc vous croyez-vous ? A la foire Saint-Germain ? C'est un bal, ce soir, ma fille, pas une mascarade ! Recoiffez-vous !

Elle se tourna vers la princesse de La Roche-sur-Yon, qui, à quelques pas, attendait.

— Montespédon ! Vous ne voyez donc rien ? Ces filles me rendront folle !

Elle arrivait devant Isabelle. Elle marqua un temps

d'arrêt. Tous les yeux convergèrent vers la jeune fille pâlissante sous l'impressionnante couche de fard dont Anna d'Atri avait peinturluré son petit visage.

— Sotte ! murmura Catherine de Médicis.

D'un doigt brutal elle pinça la joue d'Isabelle plus morte que vive. Ses yeux flamboyaient.

— N'avez-vous point de miroir, mon enfant ! gronda-t-elle. Allez m'ôter ces saletés au plus vite ! Un teint pareil... et le gâcher !

Isabelle se retint de pleurer à grand-peine. Elle s'était préparée avec tant d'application et de bonne volonté, et voilà que le résultat ne plaisait pas à la Reine-Mère !

La devinant au bord de la crise de larmes, Hélène de Surgères s'approcha d'elle :

— Allons, vite ! souffla-t-elle. Nous allons remédier à ce petit inconvénient ! N'écoutez jamais les conseils d'Anna ! Ils ne sont pas aussi sincères qu'ils en ont l'air !

Suivie de ses dames, Catherine de Médicis s'éloignait, ses voiles noirs flottant derrière elle.

Dans le silence ouaté du cabinet de toilette de la Reine-Mère, les deux jeunes filles obtinrent l'aide d'une camériste italienne. Le visage d'Isabelle fut bientôt lavé. Hélène riait tout en la réconfortant :

— Ne vous mettez pas martel en tête ! Nous avons toutes débuté ! Toutes nous avons, un jour ou l'autre, déplu à Sa Majesté !

Dans le petit miroir qu'Hélène lui présentait, Isabelle, perplexe, vit s'encadrer un visage d'une adorable pureté.

— Juste un peu de carmin sur les lèvres, déclara Hélène en lui caressant la bouche du bout de ses doigts. Elle lui prit la main :

— Ne boudez plus ! Le bal nous attend !

⁂

Elles dévalèrent les escaliers en courant, gênées par l'ampleur de leur robe. Isabelle se tordit deux fois les chevilles.

Sur le seuil de la salle de bal, une ultime fois, elles rectifièrent leur tenue. Les genoux d'Isabelle tremblaient. Elle prit une profonde inspiration, vérifia d'un doigt nerveux si la petite fibule d'argent qui relevait la traîne de sa robe était bien accrochée et sourit à Hélène.

— Redressez la tête ! recommanda la jeune fille. Souriez, mais point trop. Ne laissez pas croire aux jeunes gens à l'affût de conquêtes que la vôtre est facile ! De la hauteur, un certain mépris vis-à-vis des fats... Allons-y, vous êtes fin prête.

Les mains moites, la gorge sèche, c'était la peur qui, toute nue, impitoyable, l'envahissait. Elle regarda autour d'elle. C'était une longue et large salle ornée de centaines de bougies jaunes.

Hélène ouvrant la marche, elles se faufilèrent entre les groupes, distribuant des sourires. Certains personnages d'âge vénérable étaient assis. Les simples demoiselles ne s'asseyaient jamais en présence de la Reine-Mère et du couple royal. Elles avaient cependant la possibilité de s'installer sur un carreau de velours ou de soie, aux pieds de Catherine de Médicis ou de la princesse qu'elles servaient.

— Alors, que pensez-vous de ce bal ? demanda Diane de Cossé-Brissac en les rejoignant.

Isabelle poussa un petit soupir :

— Mon Dieu ! Tout est tellement nouveau pour moi ! Je ne sais plus où donner des yeux !

— Eh bien, donnez des yeux vers Monsieur qui arrive avec sa maison.

Isabelle fit volte-face. Monsieur arborait un costume extraordinaire de satin vert tout éclaboussé de topazes. Des perles grosses comme des noisettes brillaient à ses oreilles. Cinq gentilhommes le suivaient. Diane les énuméra :

— Le plus beau, Bussy, c'est-à-dire Louis d'Amboise. A sa droite, le plus âgé, monsieur de Villequier, surintendant de sa maison, Le Guast, bien entendu, que vous connaissez déjà, Lignerolles. Oui, le fier gentilhomme en satin rebrodé d'améthystes. Enfin, le plus jeune, un amour de garçon : Jaquet de Lévis, le petit Jacques, aussi beau que plaisant à écouter parler. Il a votre âge, à peine seize ans mais déjà une ambition d'homme mûr.

Isabelle approuva, la tête lui tournait un peu. Mais c'était une agréable ivresse !

C'était comme une mer chatoyante, mouvante, bruyante, parfumée. Vraiment, ce ne pouvait être que l'Olympe, le pays des dieux !

Les musiciens du Roi accordaient leurs instruments. Puis la mélodie jaillit, ample, harmonieuse et le Roi apparut.

Il tenait par la main la reine Elisabeth.

Quel étrange couple ils formaient ! Charles IX était grand, maigre. La tête un peu enfoncée dans les épaules, les cheveux d'un blond roux, les traits marqués pour ses vingt et un ans, il avait l'air bourru, taciturne, d'une nervosité à fleur de peau. Isabelle ne reconnut pas le charmant garçon plein d'entrain, rimeur à ses heures, aimant peindre, chanter, composer de la musique, dont souvent son parrain lui avait parlé.

Quant à Elisabeth d'Autriche, elle était insignifiante. Petite, rigide, dodue, toute blondeur. Elle souriait à tout le monde d'un air un peu niais, comme une enfant étonnée et candide. Elle faisait presque pitié parmi les princesses de France, arrogantes et sûres de leur beauté. Petite-fille de Charles-Quint par sa mère, élevée dans une cour à l'étiquette rigide, on comprenait qu'elle aimât la solitude de son oratoire par-dessus tout.

Le couple royal salua profondément la Reine-Mère puis prit place sur les chaires qui attendaient.

— Vous avez vu le Roi ? disait un homme à côté d'Isabelle. La chasse l'a bien fatigué !

— Moi, je vous dis que c'est Lignerolles qui le fatigue, Louis ! Il passe une bonne partie de la nuit à lire au Roi l'histoire de notre bonne vieille France !

En se reculant, le gentilhomme bouscula Isabelle.

— Pardonnez-moi, dit-il, lui présentant un visage confus.

Puis, l'œil écarquillé : « Louis ! Vois-tu ce que je vois ? N'est-ce point un... rêve ?

Le prénommé Louis —, Isabelle le reconnut —, image même du parfait gentilhomme, le nez droit, les traits d'une extrême finesse et l'élégance faite homme, c'était Bussy d'Amboise.

Il était si drôle et si plaisant tout à la fois, ses yeux bruns ourlés de sourcils noirs portaient tant de chaleur, son sourire découvrait des dents si parfaites, bref, il était si beau, qu'Isabelle, conquise éclata d'un rire sans retenue.

— J'aime entendre rire une aussi jolie femme ! constata-t-il, Henri, mon cher, quand je te disais que j'avais de l'esprit !

Le prénommé Henri rit à son tour. C'était un assez bel homme au regard vif et perçant. Une figure et un nez un peu longs ne l'enlaidissaient guère. D'allure martiale, il était le portrait même du parfait officier de cavalerie, téméraire et passionné.

— Ah ! Je vois que vous avez fait connaissance avec la plaie de cette Cour ! ricana Le Guast, en se frayant un passage jusqu'à Isabelle.

Elle sursauta mais n'osa pas se rebiffer. Un certain dépit assombrissait la prunelle de Bussy.

— Je suis déshonoré ! gémit-il... Vous nous quittez, ma chère déesse, sans même nous dévoiler votre identité ?

Isabelle qui, malgré le sans-gêne de Le Guast, s'amusait beaucoup, se tourna vers le prénommé Henri.

— La vôtre, tout d'abord, monsieur...

— Maréchal de Damville, se présenta-t-il.

— Oh ! fit-elle, suffoquée... J'ignorais... Pardonnez-moi, monsieur le Maréchal.

— Venez donc ! lui souffla Le Guast au creux de l'oreille.

Bussy, les bras croisés n'en revenait pas.

— Elle est si... différente, murmura Bussy tout en regardant le couple s'éloigner.

Sans lui donner le temps de protester, Le Guast entraînait Isabelle au centre de la salle, pour l'obliger à danser.

— Vous m'avez quasiment enlevée ! s'exclama-t-elle. Avez-vous une importante nouvelle à m'apprendre ? Au sujet de mon parrain peut-être ? s'inquiéta-t-elle brusquement. Je ne l'ai pas vu de la journée. Serait-il fatigué ?

Avec un rire moqueur, Le Guast secoua sa crinière :

— Non pas ! Vous êtes trop belle ! ajouta-t-il d'une voix rauque.

A nouveau, la danse les sépara. En revenant près d'elle, il reprit :

— Lorsque je vous ai vue parlant avec ce jeune paltoquet de Bussy, mon sang n'a fait qu'un tour. Pardonnez-moi, Belle, mais je crois que je suis jaloux de tous les hommes qui vous parlent ! Et puis, rappelez-vous, vous avez une dette envers moi !

— Une dette ?

Interdite, elle s'immobilisa, le cœur battant.

— Une dette, oui ! appuya-t-il avec un sourire triomphant qui lui déplut souverainement.

— Mais... je ne vois pas, commença-t-elle, perplexe.

— Comme si vous ne vous en doutiez pas un petit peu, Belle !

— Non, franchement, je ne sais pas à quoi vous faites allusion !

L'expression de Le Guast l'effraya. L'éclat de ses prunelles métalliques ajoutait à la dureté de sa physionomie.

— Cessez vos mines ! gronda-t-il en la saisissant par un bras ; j'ai blessé Anne de Chelles ce matin dans les jardins. Nous nous sommes mesurés en gentilshommes. Je vous ai gagnée en loyal combat : payez maintenant !

Isabelle eut un haut-le-corps. Soudain, elle ne vit plus ce que la situation pouvait avoir d'humiliant pour elle. Elle ne vit plus qu'Anne de Chelles blessé.

Le Guast ricanait :

— Qu'espériez-vous ? Soyons réalistes, Belle !

— Anne de Chelles est... blessé ? Grièvement ?

— Une égratignure ! Dans trois jours il n'y paraîtra plus... Mais, ce soir... je vous ai toute à moi... acheva-t-il dans un souffle. Elle se dégagea, le souffleta d'un revers de main.

— Goujat ! Je vouse déteste ! En face d'elle, tenant sa joue bafouée, Le Guast souriait mais c'était un sourire sans aucune trace de joie, un sourire qui découvrait des dents carnassières

— Ce serait trop facile ! railla-t-il... Vous avez une dette, payez-là ! Pensiez-vous que j'aurais tiré l'épée pour rien ?

— Je ne vous ai rien demandé ni rien promis !

Elle commençait à avoir très peur.

— Mon parrain en sera contrarié, murmura-t-elle. Souvenez-vous qu'il est votre ami !

Le Guast ne se démonta pas :

— Les femmes et l'amitié ne vont jamais de pair ! Que m'importe Pierre ? Vous n'êtes ni sa femme ni sa maîtresse !

— Vous devez être fou ! cingla-t-elle comme il faisait mine de la reprendre contre lui. La Reine-Mère peut nous voir !

Soudain dégrisé il s'écarta d'elle.

Elle demeura un moment comme assommée, encore sous le choc. Puis, elle se souvint de ce qu'il avait dit à propos d'Anne de Chelles et des larmes de rage envahirent ses yeux.

Une main se posa sur son épaule. Elle sursauta, croyant Le Guast revenu sur ses pas. Ce n'était qu'une charmante jeune femme brune, Madeleine de Villeroy.

— Toute seule ? s'inquiéta la jeune femme. (Puis, stupéfaite, scrutant les grises prunelles) : Vous pleurez ?

— Non, non, Madeleine ! Juste un peu de fatigue. Pour mon premier bal je me sens un peu... dépassée par les événements.

— Il faut prendre sur vous, enfant ! Venez ! Je vais vous présenter à Philippe Desportes qiu meurt d'envie de vous connaître.

Madame de Villeroy était perspicace. Elle avait tout de suite su que son amie n'était pas dans un état normal.

— Soit ! concéda-t-elle, mais je reviens vous chercher dans cinq minutes ! Il ne faut pas rester seule à votre âge ! Et Sa Majesté pourrait en prendre ombrage. Elle aime que l'on s'amuse !

Isabelle approuva sans grande conviction. Du coin de l'œil, elle épiait Le Guast. Au milieu d'un essaim de jolies femmes, il racontait quelque prouesse militaire ou amoureuse avec force détails. S'assurant que nul ne la voyait, elle prit ses jupes dans ses mains et grimpant les marches en courant, se jeta dans l'inconnu des couloirs.

CHAPITRE III

Le corridor était plutôt obscur. Une seule torche jetait ses flammes vives dans l'embrasure d'une petite fenêtre.

Isabelle ne chercha pas à savoir jusqu'où l'avait menée sa marche d'aveugle. Elle se précipita sur la première porte qu'elle vit, la poussa, entra à l'intérieur d'une antichambre déserte et sombre et s'effondra sur une banquette.

L'instant d'après, accablée, elle pleurait à chaudes larmes.

— Philibert, mon cher, quelle mouche vous pique ?

Isabelle sursauta. Dans la pièce voisine, deux voix lui parvinrent, étouffées.

— Monseigneur... Le Roi se défie de vous.

— As-tu appris quelque nouvelle, Philibert ? Parle !

A nouveau, des murmures inaudibles. Que devait faire Isabelle ? S'en aller au risque de buter sur quelque meuble et alerter les deux hommes, ou bien écouter ?

— Il faut prendre une décision, Monseigneur m'honore d'être l'un de vos plus humbles et plus sincères serviteurs et cette situation m'alarme. J'ai peur pour votre sauvegarde ! Je crains fort que le Roi, qui vous hait, ne cherche à attenter à vos jours !

— Comment cela, Philibert ? Jusqu'à présent, mon cher frère voulait m'exiler ! Il n'oserait ! Ma mère...

— La Reine-Mère ne pourra plus rien pour vous

le jour où elle vous trouvera mort dans votre lit ! A moins que le tueur ne choisisse de frapper à la chasse ? Ou bien encore d'empoisonner vos gants ou votre eau ?

— Philibert, mon brave, tu as raison, il faut agir. Que me conseilles-tu ?

Il y eut un long silence.

— L'armée vous suivra, reprit Philibert avec passion, quoique vous lui commandiez, elle vous suivra : vous êtes son chef, le Lieutenant-Général du Royaume ! Et, souvenez-vous d'une chose : la réconciliation du Roi et de l'amiral de Coligny mécontente bon nombre de fervents catholiques.

— Je sais, Philibert. J'avoue cependant que cette entreprise m'inquiète. Ma mère n'aime pas les Guise, elle s'en est toujours défié. Villeron, le capitaine des Gardes, ne m'inspire pas confiance. Je le soupçonne d'être un espion de mon bon cousin Henri.

Les voix moururent. Une porte se ferma avec précaution.

Clouée à sa banquette, Isabelle n'osait respirer. Une question s'imposa à son esprit : Que faire ? Le secret qu'elle venait de surprendre rejetait au second plan ses propres préoccupations. Un complot ! Un homme, dans l'ombre, artisan diabolique, mettait la dernière main à ses tristes manœuvres ; mieux, il essayait d'entraîner dans ses menées douteuses, Monsieur, frère du Roi ! Vraisemblablement, Monsieur ne tarderait pas à céder devant la brutale logique de son confident.

Un frisson la parcourut : ce Philibert (Philibert de Lignerolles très certainement !) était un monstre qu'il fallait empêcher de nuire par tous les moyens !

Tout en avalant la distance qui la séparait de la salle de bal, Isabelle réfléchissait. Qu'allait-elle faire ? Avertir le Roi ? Dans un accès de rage, il était bien capable alors de tuer son frère et c'était pire ! Parler à la Reine-Mère ? Tout cela en fin de compte ne retomberait-il pas sur elle, l'oreille indiscrète à qui nul n'avait rien demandé ?

Une parole de son parrain lui revenait en mémoire : « Les secrets d'Etat appartiennent à ceux qui les font », disait-il souvent...

Son devoir lui ordonnait de divulguer ce qu'elle savait pour le bien du royaume tout entier ! Pour protéger Monsieur, le Roi, des mauvais conseillers... Mais Madeleine de Villeroy, qui devait la chercher depuis un moment lui faisait des signes désespérés ; elle résolut donc d'attendre jusqu'au lendemain avant de prendre une décision. La nuit lui porterait conseil...

⁂

— Ne vous agitez donc pas comme cela ! nasilla Mlle de Châteauneuf, la compagne de lit d'Isabelle... M'entendez-vous ?

Isabelle, ébouriffée, ramena sa tête sous les rideaux du lit. Un sourire contrit jouait sur ses lèvres.

— Je... je cherchais mes pantoufles.

Les mains derrière la nuque, Isabelle reprit ses réflexions... Au coucher, elle n'avait pu approcher la Reine-Mère, les filles de la chambres restant les dernières en compagnie de Sa Majesté. Hélène, qui en faisait partie, lui avait cependant laissé entendre, en rejoignant le « dortoir », que Sa Majesté était inquiète.

Elle se rappelait également que son parrain avait tout autant recherché l'appui du cardinal de Lorraine que celui des frères Châtillon. Plus encore, il avait cent fois chanté la valeur militaire du défunt prince de Condé, celle du roi de Navarre, tous huguenots. Alors ? Il fallait faire la part des choses, calmement, avec la logique d'une personne sensée.

Le Roi... le complot ! D'un seul coup ses hantises renaissaient. Elle se dressa sur son séant, et d'une main décidée, écarta les courtines. Isabelle enfila la robe de nuit de Renée qui traînait sur un coffre, puis se glissa jusqu'à Marguerite de Crue.

— Madame, s'il vous plaît..., chuchota-t-elle.

— Que... que se passe-t-il ? demanda la surveillante.

— Je dois voir Sa Majesté, conduisez-moi, s'il vous plaît, c'est très urgent !

Madame de Crue faillit s'en étrangler. Elle tâtonna vers la chandelle, elle rectifia la position de son bonnet de nuit. Elle dévisagea la jeune fille, l'incrédulité peinte sur son visage falot.

— Tout de suite ? Mais mademoiselle de Malguérande... Vous rêvez !

— Il faut que je parle à Sa Majesté ! répéta Isabelle fermement.

Cependant quelque chose dans l'attitude de la jeune fille, son assurance, le ton sur lequel elle avait dit « Je veux voir Sa Majesté », tout alerta l'esprit courtisan de la surveillante.

D'un hochement de tête, elle acquiesça, rejeta ses draps d'un seul mouvement.

— Suivez-moi sans bruit. Il ne faut point alerter vos compagnes. Dieu sait ce qu'elles iraient imaginer !

A cette heure de la nuit, Isabelle s'était attendue à trouver Catherine de Médicis couchée. Mais la Reine-Mère prenait, de jour comme de nuit, de rapides décisions qui nécessitaient une discussion immédiate et la présence de ses conseillers, secrétaires et confidents. Pour lors, attablée devant une énorme portion de tarte à la frangipane, elle mangeait de bon appétit, buvait et discourait avec son médecin préféré, Philippo Cavriana.

Catherine de Médicis avertie en quelques mots, leva les yeux de son festin nocturne, et fronça les sourcils en direction d'Isabelle.

— Approche, enfant, approche.

Isabelle était seule face à la Reine-Mère, abîmée dans une révérence qui n'en finissait plus.

— Avance !

Obéissante, Isabelle marcha sur la queue d'un petit épagneul qui s'échappa en criant. Ce fut aussitôt un beau concert de protestations chez les chiens de la Reine-Mère.

— Basta ! Basta !

Rouge jusqu'à la racine des cheveux, Isabelle s'était immobilisée, ne sachant plus que faire, mais Catherine souriait.

D'une main vive, Catherine repoussa la petite table garnie de victuailles, et se leva.

— Alors, fillette, tu voulais me parler ?

Isabelle, le front courbé, accusa un instant d'incertitude. Qu'était-elle venue faire là ? Déranger la Reine-Mère en pleine nuit ! Et si le complot n'existait pas ? Si elle avait mal compris ?

Elle jeta subitement :

— Que votre Majesté daigne me pardonner cette audace, mais je crois détenir d'importants renseignements concernant la sécurité du Roi.

— Des renseignements, dis-tu ?

Elle fit oui de la tête, incapable d'ajouter un mot. Catherine s'impatienta, agita les mains.

— Eh bien, parle ! Je t'écoute ! Mais gare à toi s'il s'agit d'un mensonge ou d'un moyen de te faire valoir ! Tôt ou tard, je le saurai !

Une fois couchée, elle fit signe à Isabelle de prendre un escabeau et de s'installer dans la ruelle.

— Maintenant, murmura-t-elle, la mine assombrie, je t'écoute, parle bas...

Son haletant récit achevé, Isabelle attendait le verdict de Catherine de Médicis. Il ne fut pas long à venir. Les lèvres lourdement ourlées de Catherine frémirent, tout son visage ondoya comme sous l'assaut d'une vague de colère ou de terreur.

— Je le savais ! dit-elle, à voix basse. Je m'en doutais !

Elle posa sur Isabelle un regard étincelant :

— Ecoute bien ce que je vais te dire, enfant : ne te fie jamais à personne, seulement à ton intuition et aux astres, ceux-là sont tes meilleurs amis, tes guides, ils ne te tromperont jamais !

— Oui, Votre Majesté.

— A présent, retourne te coucher et tâche d'oublier ce que tu as entendu ce soir. Et quoiqu'il puisse arriver dans les jours à venir, souviens-toi d'une chose, tu ne sais rien !

— Oui, Votre Majesté...

Catherine de Médicis sourit, étendit la main, une main qui tremblait un peu :

— Va, ma petite fille, va...

Isabelle, courbée en deux, renouvela sa révérence.

***

Dans le dortoir des demoiselles, nul ne s'était aperçu de son départ. Marguerite de Crue la regarda passer avec curiosité mais elle ne posa aucune question. Isabelle se délesta en toute hâte de la robe de chambre qu'elle avait empruntée et d'un bond se glissa sous les courtines. Mais à peine avait-elle fermé l'œil qu'elle se sentit secouée.

— Réveillez-vous, Sa Majesté vous demande ! souffla Marguerite.

Catherine de Médicis arpentait sa chambre, mains croisées, le menton enfoncé dans sa grasse poitrine, les paupières mi-closes sur d'intenses réflexions.

— Viens ici ! Non, pas de révérence ! Viens plus près, lève les yeux !

» Marche un peu... tourne... c'est bien. Je t'ai observée ce soir durant le bal : tous les hommes te regardaient !

Elle s'assit, fixant toujours Isabelle.

— Néanmoins, tu es bien jeune et c'est cette jeunesse qui me préoccupe. A moins qu'elle ne soit d'un grand secours en l'occurrence ? Voici ce que je te propose, enfant. Tu as entendu parler du comte de Villeron, le capitaine des gardes du Roi ? Tu n'es pas sans connaître sa famille d'ailleurs puisque tu as voyagé en compagnie de son frère, Anne de Chelles ? Villeron est un guisard, c'est-à-dire un catholique borné comme toute cette famille, inféodé à l'Espagnol et aux jésuites ! Cette sorte d'hommes m'a toujours déplu ! Je hais les fanatiques. Je n'ai vécu et régné que dans un seul but : arracher les hommes à leurs folies ! Arracher la France, devenue mon royaume et ma patrie, à ces factions meurtrières qui l'ensanglantent ! Je ne suis guère aimée... Peu importe ! Cependant jamais je ne permettrai que Paris devienne un champ de bataille. Toute ma vie je me suis battue pour que mes enfants connaissent une vie calme. Aujourd'hui, à cinquante-deux ans, je ne lâcherai pas prise ! Ce n'est ni un Philibert de Lignerolles, ni un Coligny, encore moins un Guise qui me fera reculer !

Sa voix s'était enflée et Isabelle l'écoutait, fascinée

— Ce Villeron, poursuivait Catherine de Médicis, je le connais. Il est féroce. C'est de lui surtout dont j'ai peur. Lignerolles, j'en fais mon affaire ! D'ici trois jours, tout sera réglé ! Quant au comte... Et bien, mon enfant : je te le confie !

Isabelle sursauta et lança un coup d'œil stupéfait à la Reine-Mère... Lui confier le comte de Villeron, le propre frère d'Anne de Chelles, un soldat, un homme de fer d'après ce qu'elle en savait !

Le rire sonore de Catherine de Médicis l'atteignit en plein cœur.

— Ne prends pas cet air de bête traquée ! Redresse-toi, je te veux triomphante ! Tu es jeune, belle, digne de plaire au plus difficile ! La preuve : madame de Sauves elle-même n'a pu voir clair en lui ! Toi, tu le pourras peut-être, parce que tu es fraîche et neuve et il me semble avoir deviné cet homme. Sous des dehors de fier-à-bras, cynique et cruel, c'est un sentimental ! Il pliera volontiers devant l'innocence ! Les hommes sont tous les mêmes !

Isabelle commençait à comprendre et, osant lever les yeux sur la Reine-Mère, elle heurta un regard qui la fit chanceler.

— Que Votre Majesté daigne m'expliquer, murmura-t-elle.

— C'est simple ! Tu t'attaches à ses pas, tu l'épies, tu le fais parler, tu l'écoutes et tous les soirs, tu viens me faire ton rapport.

Elle leva un doigt :

— Ne te méprends pas ! Je ne te demande pas de te mal conduire avec lui ! Cela je ne l'admettrai pas ! Il y a mille façons de dérouter un homme et une fille pleine d'esprit doit savoir choisir la meilleure ! Va, maintenant... Ah ! Encore une chose. J'ai appris que Le Guast et Anne de Chelles s'étaient mesurés en duel ! Que ce genre d'incident ne se renouvelle plus ! J'envoie Anne de Chelles dès demain à Paris. Il ne faudrait pas qu'il s'imagine que ton avenir lui appartient ! Vous avez mieux à faire tous les deux, mais... pas ensemble !

Les jambes tremblantes, la tête pleine de recommandations, Isabelle pouvait enfin aller se coucher...

Le lendemain matin, très tôt, Catherine de Médicis l'avait fait demander. Dans le cabinet de la Reine-Mère, loin des oreilles indiscrètes, Isabelle avait appris quel serait son emploi du temps de la journée. Le Roi invitant les dames à la chasse au cerf, elle devrait profiter de cette occasion pour lier connaissance avec le comte de Villeron, chasseur impénitent.

Isabelle se jugeait assez bonne cavalière pour tenir sans faiblir durant plusieurs heures à la traîne d'un cerf. Elle avait tout juste entrevu son parrain pendant la messe. Ronsard semblait trouver un immense plaisir en la compagnie d'Amadis. Sombrement dépitée, Isabelle se promettait de mettre les choses au point. Mais pour l'instant, elle avait mieux à faire !

Après une bonne nuit de sommeil, renforcée dans son courage par la confiance de la Reine-Mère, elle se sentait pousser des ailes.

Bussy d'Amboise, un peu en retrait, guettait avec malice les soupirs de la jeune fille. Celui-là, elle l'aimait bien ! Il était gai et c'était de gaieté dont elle avait le plus besoin !

— Le Grand Favori ! chuchota Hélène.

Isabelle pirouetta sur sa selle :

— Qui est-il ?

— Mais Lignerolles, voyons ! Philiberti, celui qui lit « les chroniques de France » au Roi, celui dont Monsieur ne peut plus se passer, bref, les deux frères se disputent âprement ses faveurs... Comment le trouvez-vous ?

Isabelle avait pâli. Philibert de Lignerolles ! C'était donc lui ? Elle l'examina avec attention et ne vit qu'un gentilhomme comme tant d'autres, mais le visage était arrogant, l'œil se posait sur les choses et les gens avec un suprême dédain. C'était le regard d'un homme mûr, arrivé au faîte des honneurs et qui entendait les garder. Chevauchant avec Monsieur, il semblait très sûr de lui.

Isabelle soupira. Donnant de l'éperon, elle s'enfonça plus avant dans la grande allée.

— Monsieur a grand mérite de monter ce matin, dit Bussy qui chevauchait, comme par hasard, près d'Isabelle. Il n'a jamais été un fameux cavalier, sans offenser sa grandeur ! De plus, il est très fatigué, je le sais : il n'a pas fermé l'œil de la nuit ! Savez-vous, mon cœur, ce qu'il m'a dit de vous ?

— Quoi donc ?

— Monsieur évidemment ! Il a dit que vous êtes digne d'un prince, déclama Bussy d'un ton tragique.

— Monsieur vous a dit ça vraiment ?

Il eut un petit sourire penaud :

— Pas exactement... Mais tous à Blois nous le pensons, mon cœur ! Vous êtes... vous êtes adorable, merveilleuse, unique, un ange descendu du ciel !

Elle rit de plus belle. Après tout, il était gentil. Ses compliments délicatement enflammés la rassuraient sur ce que pourrait penser d'elle le comte de Villeron...

Ils arrivaient dans la petite clairière, lieu de rassemblement. On avait monté en toute hâte la table du Roi, couverte d'une belle nappe fleurdelysée et chargée de viandes et de pâtés.

Charles IX s'assit, avec à ses côtés le maréchal de Damville,

Autour de lui, les aides de l'échansonnerie avaient parsemé la clairière de nappes, à même l'herbe et chacun faisait collation.

Bussy revint auprès d'Isabelle, un plateau dans les mains, avec dessus une petite caille rôtie et des choux bouillis.

— Ouf ! dit-il, en s'asseyant au pied d'un ormeau, quelle cohue !

Adossée au tronc de l'arbre, Isabelle accepta de bonne grâce le petit volatile et mordit à belles dents dans une chair merveilleusement épicée.

Un sourire extasié sur les lèvres, Bussy la contemplait.

— Dites-moi, baron, demanda Isabelle, vous qui connaissez tout le monde à la Cour, le comte de Villeron est-il de vos familiers ?

Bussy la lorgna, l'œil pétillant :

— Gourmande ! Le Guast ne vous suffit plus ? Mon cœur, si vos yeux charmants étaient des poignards, je serais mort, n'est-ce pas ?

Bussy soupira à fendre l'âme.

— Hélas ! Vous n'avez donc aucune pitié ? Me proposer cela à moi, qui vous aime !

Cependant le baron jetait un regard vers le Roi qui se levait de table, et enfourchait sa monture, distribuant des ordres à la cantonade.

— Malheureusement, dit-il, il va nous falloir différer l'exécution de vos caprices, mon ange. La chasse est ouverte !

Charles IX s'élança, talonné par le Maréchal de Damville, le grand veneur, et deux autres gentilshommes. Bussy et Isabelle sautèrent en selle.

Isabelle, le sang aux joues, se donnait toute à l'instant oubliant le comte, Le Guast et l'affaire Lignerolles. Soudain, une voix qu'elle reconnaissait l'interpella :

— Hola ! Ma belle !

La petite jument brusquement se cabra. Un cavalier venait de lui couper la route, débouchant à train d'enfer de derrière les grands chênes. Le Guast ! Isabelle le reconnut dans un éclair, ses cheveux roux et embroussaillés, son sourire féroce !

Elle coupa droit à sa gauche, trouva une sente sous bois, s'y engagea au galop. Elle entendait toujours les chiens devant, les appels des veneurs et puis, derrière, le galop d'un autre cheval qui, insensiblement se rapprochait.

La rage au cœur, elle frappa l'échine de sa jument

— Plus vite, ma belle ! Plus vite !

La jument ne vit pas le tronc couché en travers de sa route, elle ne sauta pas, s'arrêta pile, apeurée. Prise de court, Isabelle vida ses étriers.

Elle se reçut sur un tapis de feuilles humides, un peu étourdie. D'une torsion de reins, affolée, elle se redressa.

Le Guast était là !

— Eh bien, que vous arrive-t-il ?

Il riait ! Son vertige s'éloignant, elle eut envie de le battre tant il semblait satisfait de lui-même !

— Allez-vous en ! dit-elle d'un ton sec, en s'efforçant au calme.

Il parut franchement étonné :

— Comment ? Mais la forêt est à tout le monde, Belle !

— Alors, moi, je m'en vais !

Le cœur battant la chamade mais serrant les poings, elle se mit en marche vers sa monture qui broutait à quelques pas.

— Oh ! Non, Belle ! martela-t-il... vous restez !

Comme il s'approchait d'elle, elle fit un écart, frémissante, jeta un regard éperdu alentour. Il devina son espoir :

— Non, railla-t-il. Personne ne viendra ! Nous sommes trop loin de la chasse.

Isabelle ne bougea pas d'un pouce, tous sens en éveil.

Il avança une main. Elle recula.

— Jamais ! cingla-t-elle.

Mais il était souple comme un fauve. Il l'empoigna à bras le corps.

Elle hurla. Son cri se répercuta dans le silence de la forêt.

— Lâchez-moi ! Vous êtes odieux !

Prise de panique, elle mordit la main qui remontait vers sa poitrine, se tordit, plus vive qu'un cerf aux abois. Elle devait avoir de bonnes canines ! Il porta la main à sa bouche, le visage défiguré par la colère.

Les jupes relevées, Isabelle courut vers les taillis, le laissant avec sa douleur et sa surprise. Après un instant de flottement, Le Guast bondit à son tour.

Seigneur ! Sa jupe venait de se prendre dans une racine ! Epouvantée, elle tira sur la belle étoffe, de toutes ses forces. Le velours se déchira avec un craquement sec.

— Au secours ! Au secours ! Le cri avait jailli tout seul de sa gorge contractée.

Un gentilhomme était là, debout sur ses étriers.

— Monsieur, par pitié, sauvez-moi ! jeta-t-elle dans un souffle.

Du haut de son superbe alezan, grand, blond, la barbe blonde également, les épaules larges et le visage froid, il la fixait sans rien dire. Il l'avait vue déboucher, courant, échevelée, le visage barbouillé de larmes et les vêtements déchirés. La surprise fut de courte durée. Le Guast surgissait au même instant, essoufflé, les cheveux en bataille. Isabelle se relevait. Elle vit l'inconnu sauter à terre, l'épée à la main. Elle réalisa, alors, qu'il ne portait pas de gants et que c'était mains nues qu'il s'avançait vers Le Guast, la lame étincelant sous le soleil.

— Halte-là, Monsieur !

Le Guast marqua un imperceptible temps d'arrêt,

puis, un sourire cruel retroussant sa moustache, dégaina à son tour.

— Vous m'offrez une occasion inespérée, comte, railla-t-il.

Le gentilhomme blond sourit avec tout autant de sauvagerie que son adversaire et se mit en garde.

— Et moi donc, Le Guast ! Vous avez eu beau jeu avec mon jeune frère ! La partie sera plus dure avec moi ! En garde, monsieur !

— Je te tuerai, sale bâtard ! cria Le Guast en se fendant, ensuite, je m'occuperai de cette péronnelle !

Isabelle, adossée à un arbre, reprenait son souffle. Sa peur envolée, elle suivait le combat avec une impatience non dénuée de satisfaction. C'était étrange, mais autant elle aurait eu peur s'il s'était agi d'Anne de Chelles, autant elle ne craignait pas pour la vie du comte !

Du sang gicla. Le Guast, livide, tâta son épaule blessée d'une main tremblante. Sous la douleur, il rompit d'un pas, son épée glissa à terre.

— Je suis à votre merci, comte ! murmura-t-il d'une voix étouffée.

Le comte de Villeron se pencha lentement, ramassa l'épée du Dauphinois et la tenant par la lame, la lui tendit :

— Je vous rends votre arme, Le Guast ! Tâchez d'apprendre à vous en servir, pour la prochaine fois !

— Tôt ou tard, murmura-t-il, en jetant un coup d'œil haineux en direction d'Isabelle...

Puis, il tourna les talons...

Le comte de Villeron alla vers Isabelle ; un pli barrait son front :

— Vous a-t-il brutalisée ? demanda-t-il.

— Non, mais... comment vous remercier, monsieur ?

Deux cavaliers s'approchèrent.

— Raoul, mon cher ! Le Roi vous cherche, dit l'un d'eux.

Villeron enfourchait son alezan, imité par Isabelle.

— C'est bon, Joseph... Le cerf a-t-il passé l'eau ?

— Oui ! Mais... qu'est-il arrivé ?

— J'ai été désarçonnée ! lança-t-elle en s'efforçant au rire. Le comte m'a secourue...

Ses jambes tremblaient un peu mais le contact de la petite jument la rassérénait déjà.

— Bonne Mère ! s'exclama l'un des cavaliers... Et vous n'avez pas de mal ?

Isabelle, pour lui prouver que non, éperonna et dépassa les trois hommes. C'était le moment de montrer au comte de Villeron qu'elle savait se tenir en selle !

CHAPITRE IV

Isabelle et Madeleine de Villeroy se laissèrent distancer par les demoiselles.

— J'ai dansé ! s'indigna Isabelle. J'ai obéi ! Et pourquoi ? Personne ne m'a même regardée !

Madame de Villeroy passa un bras sous celui de la jeune fille :

— Mauvaise tête qui ne sait pas plier ! Qui voudrait toujours être la plus élégante, la plus belle, la plus admirée !

Isabelle ne répondit pas. Elle songeait à son parrain qui l'abondonnait pour courtiser Hélène.

— Je sais ce qui vous ronge ! affirma Madeleine. Mais ne vous pressez point trop de songer au mariage ! Vous rappelez-vous ce que je vous en ai dit l'année dernière ? On est bien heureuse avec un mari quand il est aussi gentil que Nicolas, mais on est aussi souvent délaissée ! Profitez de vos seize ans !

A quoi les employait-elle ? A tenter d'attirer l'attention d'un indifférent !

— Tiens ! dit Madeleine comme elles dépassaient le pavillon d'Anne de Bretagne. N'est-ce point Lignerolles et le comte de Villeron qui viennent ?

Isabelle sursauta. Lignerolles et le comte de Villeron ?

— Madeleine ! Voulez-vous me rendre un grand service ? Quand ces gentilshommes seront là, arrangez-vous pour éloigner monsieur de Lignerolles. Je dois parler au comte !

Madame de Villeroy la gratifia d'un regard plein de curiosité et puis aussi d'un peu de crainte :

— Ne faites pas l'enfant ! gronda-t-elle.

Les deux jeunes gens arrivaient à leur hauteur. Lignerolles était en vert, aux couleurs de Monsieur. Le comte portait un pourpoint de velours noir à collet haut à la mode espagnole.

Madeleine étendit les bras :

— Mon cher Philibert, quelle joie de vous rencontrer. Justement, je pensais à vous et je me demandais, étant donné que vous savez tout sur l'histoire de notre belle France, si vous ne pourriez point m'aider ?

D'autorité, elle s'empara du bras du gentilhomme qui n'osa pas contrarier une aussi jolie femme.

— Il s'agit d'un gage, poursuivit-elle, en l'entraînant vers une haie de troènes.

La robe de velours brun, le pourpoint vert se perdirent dans le savant fouillis des charpentes.

— Voilà une charmante occasion, murmura le comte dans le dos d'Isabelle qui fit volte-face, le cœur battant.

— Qui aurait pu avoir lieu plus tôt... dit-elle dans un éclatant sourire.

— Vous éprouvez donc quelque plaisir à ma compagnie ?

Isabelle se sentit rougir :

— Certainement, balbutia-t-elle... Vous m'avez sauvée des entreprises de Le Guast. Je ne pourrai jamais vous remercier assez !

— Tout autre que moi aurait tiré l'épée aussi vite ! Le Guast est une bête malfaisante connue de tous ici !

Isabelle ne se sentait pas très à l'aise.

— Votre frère fut mon chaperon durant mon voyage de Vendôme à Blois, dit-elle. J'avais apprécié sa gentillesse mais... il est parti, je crois ?

— Certes ! Je ne sais où d'ailleurs ! Mon frère et moi vivons un peu séparés l'un de l'autre. Depuis qu'il est entré au service de Monsieur, nos routes ne se croisent que rarement. Mais, c'est un gentil garçon, en effet.

Isabelle poussa un grand soupir intérieur et remercia le ciel. Voilà qu'il lui tendait la perche !

— J'en ai honte, commença-t-elle, d'une voix timide, mais la prochaine venue de monsieur l'amiral de Coligny m'effraie ! Ce... traître, cet antéchrist reçu par le Roi... vivant parmi nous !

Elle avait touché juste. Le visage du comte se colora d'une légère rougeur. Il serra les mâchoires.

— Je n'en présage rien de bon moi-même ! gronda-t-il avec un geste plein d'exaspération. Rien de bon pour les catholiques, rien de bon pour le Royaume ! Le Roi est fou d'attendre la paix de cet homme !

— Vous pensez que les troubles vont reprendre ?

— Certes pas dans le sens que vous l'entendez, ma chère petite ! Si Coligny tient tant à venir à la Cour ces temps-ci, c'est dans le but d'attirer le Roi dans un piège !

— Quel piège ? s'entendit-elle questionner d'une voix altérée.

— La guerre en Flandres contre Philippe II !

Isabelle demeura songeuse un instant, mit fin à cette conversation politique et resta sur ses gardes.

Elle avait la très nette impression qu'il se moquait d'elle. La prenait-il pour une petite niaise prétentieuse ?

— Et... Monsieur de Lignerolles ? demanda-t-elle, le connaissez-vous bien ?

Elle pivota sur elle-même, sous l'injonction soudaine de deux mains impérieuses qui s'étaient accrochées à ses épaules. Il la dévisagea longuement, le front barré d'un pli. Il n'était pas vraiment beau. Ses yeux étaient drôles, son nez légèrement busqué au-dessus de la moustache blonde.

— Pourquoi parler des autres ? souffla-t-il d'une voix enrouée. Isabelle...

C'était la première fois qu'il prononçait son prénom.

— Comme tu es belle, dit-il soudain... Si belle !

Il posa sa grande main brune sur sa joue veloutée, releva le petit menton volontaire.

Elle frissonna. Elle aurait voulu pouvoir prendre ses jambes à son cou, le gifler, crier, se débattre. Elle était prise dans le réseau brûlant de ses bras et ne trouvait ni la force, ni le courage, ni même une véritable envie d'échapper.

Des pas crissèrent sur le gravillon. Il pesta et l'entraîna vers le Grand-Pavillon. Elle se laissa conduire. Elle ne savait plus très bien où elle était.

— Isabelle...

Il la reprenait dans ses bras. Il sentait bon. Le cuir, la verveine. Une odeur qu'elle n'avait plus respirée depuis la mort de son père. Un court instant, elle se revit petite fille, sur les genoux du baron. C'était une étrange sensation, une impression d'entière sécurité, comme si de toujours elle avait connu cet homme et qu'il fût tout naturel qu'il ouvrît ses bras, et les refermât sur elle.

La pressant contre lui, il la souleva un peu de terre pour qu'elle soit à sa hauteur, se pencha. Elle n'avait pas baissé les yeux.

— Tu n'as pas peur de moi ? dit-il.

Elle fit non de la tête. Pourquoi aurait-elle eu peur ? Elle était bien.

Blois avait disparu en fumées. Blois faisait partie d'un autre monde, un monde bizarre de complots et d'espions. Quand il posa ses lèvres sur les siennes, un grand frisson la secoua, puis elle répondit à son baiser avec toute la fougue de l'innocence.

Ce fut lui qui s'arracha à elle, la tenant à bout de bras tandis que la tête lourde, les jambes fauchées, elle le contemplait sans rien dire, comme si subitement il était quelqu'un d'autre.

— Pour la première fois, murmura-t-il, un brin taquin, ce n'est pas trop mal ! Il ne faut point abuser des bonnes choses ! Ne vous l'a-t-on jamais dit ?

Elle rit. Elle écoutait son rire avec passion et c'était

une autre Isabelle qui riait. Il se moquait d'elle mais gentiment, avec une grande tendresse.

Il la fit asseoir sur le bord du bassin.

— Quel idiot je fais ! s'exclama-t-il soudain. J'ai vingt-sept ans. Jamais jusqu'à ce jour je n'avais éprouvé pour une femme ce que je ressens pour toi, petite fille...

Il y avait tant de passion dans sa voix, ses yeux, qu'Isabelle détourna la tête avec brusquerie. Soudain, elle s'éveillait d'un rêve. Ce n'était pas possible ! Il n'allait pas lui dire qu'il l'aimait ? Est-ce qu'on aime si vite ?

— Dieu me damne ! disait-il... Je ne vois pas d'autre solution ! Voulez-vous être ma femme, Isabelle ? La comtesse de Villeron ?

Elle fit un bond, s'écarta de la fontaine, de lui, de tous ses rêves... une absurdité !

— Eh bien ? Ma proposition ne semble pas vous enchanter ! ajouta-t-il en la rejoignant... Il est vrai que je n'ai guère de fortune à vous offrir !

— Il ne s'agit pas de cela ! cingla-t-elle. Pour qui me prenez-vous ? J'ai été élevée dans un manoir entouré de fermes ! J'ai mangé plus de lait caillé et de pain noir que d'ortolans, croyez-moi !

Elle le toisait, rageuse et son regard doré, gris, bleu, il ne savait plus, le pénétra comme une lame.

— Je vous aime, répéta-t-il... Voulez-vous être ma femme ?

— Non !

Elle s'éloigna, secouant la tête avec force, tordant ses mains.

— Pourquoi ? Pourquoi l'avez-vous dit ? sanglota-t-elle.

— Qu'ai-je dit ?

— Mais... ça... que vous m'aimiez ! Que vous vouliez m'épouser ! Je ne veux pas !

Désorienté, il la dévorait du regard. Il ne comprenait pas cette soudaine volte face et elle en eut doublement mal, pour elle, pour lui.

Il fut soudain derrière elle, la broyant dans ses

bras. Plus de douces caresses. Il la forçait à se tourner vers lui. Il immobilisa son visage entre ses mains.

— Alors, c'était vrai ce que disait Le Guast ? gronda-t-il... Qu'il t'a eue dès le premier soir ?

Isabelle s'épouvanta :

— Lâchez-moi ! Vous me faites mal ! Comment pouvez-vous croire une pareille histoire ? Pourquoi aurais-je fui devant lui ? haleta-t-elle.

Il ricana :

— Manœuvre de coquette !

Brusquement elle avait peur. Elle ne le reconnaissait plus.

— Lâchez-moi !

Dans un sursaut dément, elle parvint à s'arracher à son étreinte de fer, courut vers la porte du pavillon.

— Isabelle ! appela-t-il.

Elle ne se retourna pas.

....

Ce soir-là, Sa Majesté se déclara fatiguée donna congé à ses demoiselles d'honneur.

Sur la pointe des pieds, Isabelle sortait avec les autres quand un signe catégorique de Mme de Montespédon l'immobilisa.

— Sa Majesté désire que vous restiez, lui glissa-t-elle au passage.

— J'ai une faim de loup ! Mais tous ces gens me coupaient l'appétit, ce soir ! Approche, petite !

Alors que s'est-il passé entre le comte et toi à la promenade ? Elle parut se souvenir de quelque chose.

— Avant, donne-moi à boire, je meurs de soif !

La main tremblant un peu, cherchant éperdument le moyen de répondre sans mentir ni tout avouer, Isabelle présenta une coupe de vin à Catherine de Médicis.

— Eh bien ! s'impatienta la Reine-Mère devant son mutisme prolongé... Parle ! Je t'en ai donné la permission ! Ah ! Mais que tu es donc maladroite, ma fille !

Isabelle blêmit comme sous une gifle. Elle venait de laisser tomber une goutte de vin sur la nappe blanche. Devant ses yeux embués de larmes, le visage de la Reine-Mère devenait singulièrement flou, lointain, de même que sa voix.

— Que votre Majesté daigne... balbutia-t-elle au prix d'un terrible effort de concentration.

— Bien, je t'écoute maintenant...

— Le comte m'a paru... détester l'amiral de Coligny, commença-t-elle...

— Tous les Guise détestent l'Amiral ! grommela la reine. Tu ne m'apprends rien ! Mais t'a-t-il parlé de Monsieur ?

— Nous n'avons pas eu le loisir d'aborder ce sujet, Votre Majesté.

Le grand rire gai de la Reine-Mère la fit sursauter. Il cascada, ample, mélodieux comme un source. D'une main, Catherine de Médicis fit pivoter Isabelle :

— Regarde-moi ! Je gage que ce coquin t'a embrassée et que tu n'as pas su te défendre ? Ce n'est pas pour me déplaire ! Plus cet imbécile te trouvera à son goût, plus sa langue se déliera, plus il oubliera ses projets et sa haine envers les huguenots et, pour l'instant, c'est tout ce qui compte ! J'ai reçu aujourd'hui des renseignements qui éclairent la position du comte dans ce complot minable. Villeron n'est vraiment pas sot ! Il attend ! Il cajole sa vengeance ! Il laisse travailler le temps.

Malgré tous les problèmes qu'elle évoquait, Catherine de Médicis attaqua son repas avec enthousiasme. Comment la Reine-Mère allait pouvoir manger tout ce qui se trouvait dans son assiette.

— Tu as fait du bon travail, petite, continue. Je tiens à savoir ce que les Guise ont derrière la tête. Mais plus encore, je veux le comte à tes pieds, ne songeant plus à la haine qu'il voue à l'amiral Coligny. Il demeure le seul Lorrain à Blois.

Isabelle, les yeux baissés écoutait parler la Reine-Mère et les pensées tourbillonnaient dans sa tête, incroyablement embrouillées. Une sorte de révolte grandissait en elle au fur et à mesure que Catherine de Médicis exposait son plan. Séduire le comte, le tromper, en aurait-elle le courage ? Elle avait honte ! Il lui avait inspiré, dès le premier regard, une absolue confiance. Elle aurait aimé pouvoir se reposer sur lui, l'écouter parler des heures durant et qu'il l'embrasse encore comme il l'avait fait.

Elle ne savait pas au juste si elle l'aimait, mais ce dont elle était certaine c'est qu'elle ne voulait pas le trahir.

Un instant, une faiblesse la prit. Elle respira profondément, reprit :

— Je prie Votre Majesté de bien vouloir me relever de ma mission auprès du comte...

Un silence, et puis soudain l'orage. La table trembla sur ses pieds.

— Seigneur ! rugit Catherine, et pourquoi je te prie ?

— Votre Majesté daigne me pardonner mais... mais je ne me sens pas capable de la mener à bien...

La Reine-Mère se leva, d'un geste renvoya Mme Gondi. Les voiles en bataille, elle pirouetta sur ses talons, désigna Isabelle d'un doigt accusateur :

— Tu t'y feras ! gronda-t-elle, menaçante... Tu apprendras ! Ce n'est pas grave si pour cette fois tu bafouilles. Je pressens en toi de réelles dispositions, tu es belle, très belle et surtout très intelligente. Il ne faut pas gâcher ces qualités ! Approche-toi.

Isabelle fit quelques pas, ployant la nuque et le genou. La main de la reine s'appesantit sur sa tête, ses doigts s'accrochèrent comme des griffes à la base de son cou :

— Je ne veux pas de rebellion, dit-elle d'une voix dangereusement douce, tu entends ? Tes scrupules t'honorent mais qu'ils ne se renouvellent pas !

La voix de Catherine de Médicis se nuança de tendresse :

— Tu connais Charlotte de Sauves, dit-elle. Elle

est belle, elle est de grande famille. Je lui ai fait épouser mon secrétaire, un gentil garçon un peu bourru mais honnête et consciencieux. Je pourrais te donner un mari, si tu le voulais. Il te faudrait un homme sur lequel te reposer et je serais plus tranquille. Un homme dans le genre de Fizes de Sauves ou de Villeroy...

Isabelle ne sut pas comment elle se remit sur ses jambes. Elle sanglotait. Elle sanglotait toujours, une heure plus tard, en grattant à la petite porte ouvragée.

— Parrain, ouvre ! C'est moi, Isabelle.

A l'intérieur, il y eut un remue-ménage étouffé, des chuchotements. Enfin Pierre de Ronsard, le bonnet de nuit sur la tête, l'air ensommeillé, apparut.

— Que fais-tu là, petite ?

Sans répondre, elle le bouscula pour passer le seuil. La petite chambre obscure révélait un désordre effarant ! Isabelle inspectait les lieux, médusée. Une tenture bougea soudain, et obéissant à quelque impulsion maligne, elle s'en approcha, la tira d'une main décidée, et découvrit une pauvre fille en chemise chiffonnée, qui se mit instantanément à pleurer à fendre l'âme.

Isabelle avait pâli. Elle en oubliait ses propres larmes qui baignaient encore son visage.

La fille s'effondra à genoux, baisant le bas de la robe d'Isabelle...

— Noble demoiselle, pardonnez-moi... je...

— Bon, ça va, prends tes affaires et file !

— Eh bien, voilà ! soupira Ronsard en se tournant vers Isabelle, c'est ce qui arrive aux petites filles trop curieuses !

Il semblait mort de honte, un peu furieux, un peu confus, mais Isabelle n'avait guère envie de lui reprocher cette aventure ! Elle était bien trop lasse et trop désabusée. Elle se saisit d'un escabeau et le porta près du lit :

— Couche-toi, ordonna-t-elle d'un ton doctoral, tu es pieds nus et les nuits commencent à devenir fraîches.

Sidéré, le poète obtempéra sans broncher, puis, une

fois sous les draps, il dut se rendre compte de la bizarrerie de sa situation. Il rougit.

— Voilà que tu me traites comme un vieillard maintenant ! rugit-il, vexé.

— Ecoute, parrain, je ne suis pas venue ici pour t'espionner ! J'ai même été assez surprise de cette rencontre fortuite, mais passons !

— Oui, tu as raison. Parlons plutôt de ce qui t'amène.

Isabelle joignit les mains sur ses genoux serrés, puis, après un long silence, redressa le cou :

— Je veux retourner au Mesnil, jeta-t-elle d'une voix ferme.

Pierre de Ronsard, bien installé dans son lit, se félicita de n'être pas demeuré debout. Une telle déclaration aurait bien pu lui faucher les jambes !

— Je veux quitter la Cour, ajouta Isabelle sur sa lancée.

Le poète se mordit la lèvre inférieure :

— Bon, soit !

Elle sursauta, piquée au vif. Au fond, elle ne voulait pas vraiment partir.

— Comment... tu... tu n'es pas fâché ?

— Pourquoi le serais-je, petite ? Tu veux quitter la Cour, tu veux abandonner un bel avenir pour une vie de paysanne... Libre à toi ! En as-tu au moins averti Sa Majesté ?

— Tu es déçu ? demanda-t-elle.

Il écarta les bras dans un geste fataliste :

— Fatigué ! grommela-t-il... Je suis fatigué ! Après-demain Amadis lira les arguments de la Franciade devant le Roi et je lui présenterai le manuscrit des quatre premiers livres. Alors, je te prie, ne viens pas m'agacer avec tes caprices d'enfant gâtée ! Retourne te coucher, j'ai besoin de sommeil !

C'était trop fort ! Il la rejetait, lui, son parrain, le seul être en qui elle avait mis sa confiance et son affection ! Elle se sentit perdue.

— Tu ne m'aimes plus ! bégaya-t-elle.

— Mais si, mais si ! assura-t-il d'un ton paterne. Seulement pas maintenant, pas au milieu de la nuit !

— La Reine-Mère entend faire de moi une espèce de... Dalila ! Le Guast, ton cher ami, a déjà tenté de me violenter en plein bois ! J'en ai plus qu'assez d'être prise pour une girouette que l'on fait tourner dans tous les sens !

Sa colère se déversait comme un torrent furieux. Elle tapait du pied, martelant ces derniers mots d'une voix suraiguë.

Très pâle, Ronsard bondit hors du lit :

— Vas-tu te taire ! Tu vas ameuter tout Blois !

— Tant mieux ! Tout le monde saura que j'en ai assez ! Et le comte également !

— Le comte ? Quel comte ?

Anxieux, il lui prit les mains, la força à s'asseoir sur le lit :

— Calme-toi, mon petit, raconte-moi tout !

— Tu savais, réalisa-t-elle soudain... Tu savais quel métier désirait me voir exercer la Reine-Mère !

— Non, pas exactement, affirma-t-il. Il voulut lui caresser la joue mais elle recula, le visage dur :

— Tu étais au courant ! Tu savais quel rôle je devrais jouer ! C'est ignoble !

— Ecoute ! Cela ne sert strictement à rien de te lamenter ! Puisque te voilà une femme maintenant, au fait des réalités de l'existence, bats-toi avec des armes de femme ! Je vais être brutal avec toi, Isabelle : la vie n'est pas un jardin où l'on se promène en cueillant des roses, quoique j'ai pu en écrire ! Il y a les épines, les ronces, les pierres du chemin, les malandrins postés aux coins des routes, les faux-amis, les intrigues, les compromissions... Et à la Cour plus que partout ailleurs ! Tu n'y changeras rien ! Alors, choisis de rester et de te battre, ou d'abandonner à la première difficulté, lâchement !

— Evidemment, murmura-t-elle, tu ne peux pas comprendre, tu es un homme, tu fais partie du monde des hommes !

Ronsard ricana :

— Comme si les hommes étaient mieux lotis ! N'ai-je pas souffert, moi ? Et les femmes, crois-tu qu'elles m'aient épargné ? Dans ma jeunesse, j'étais un mauvais courtisan, je ne voulais pas plier, et puis l'appel de la gloire fut le plus fort. J'ai bu la coupe empoisonnée, comme les autres et je ne m'en porte pas plus mal !

Il la secouait, rageur, le visage farouche et elle sut qu'il pleurait sur lui-même.

Je me suis battu ! vociféra-t-il. Si mon nom est enflé de quelque gloire, je l'ai payé très cher ! Dans ce siècle, il est vite méprisé celui qui refuse la lutte... Toi aussi, tu te battras !

Elle avait terriblement honte. Elle le voyait, avec son dos voûté, ses rares cheveux gris, ses yeux brûlants. Presque un vieil homme ! Elle avait toute la vie devant elle...

— Tu as raison, souffla-t-elle d'une voix blanche, je suis sotte !

— Mais non... une femme simplement !

Revenant vers elle, il la prit contre lui, la berça.

— J'ai appris que Gilles, ton frère, rentrait bientôt d'Angleterre. Vous apprendrez à vous connaître tous les deux. Gilles a vingt-huit ans. C'est de cela dont tu as besoin, d'un homme à tes côtés, qui aurait le temps, la jeunesse, la patience et la possibilité de t'écouter, de t'apprendre à vivre, et la force de te protéger...

Comme Catherine de Médicis ! Les mêmes mots ! Un homme, qui la protégerait... Pourquoi, à cet instant, le visage du comte de Villeron se substitua-t-il à celui de son frère ? Elle n'était plus certaine que ce fût parce qu'il lui avait demandé d'être sa femme. C'était tout autre chose. Peut-être parce qu'elle sentait, obscurément, qu'il était le seul, oui, le seul homme au monde qui puisse la protéger...

*
* *

Isabelle s'immobilisa, aux aguets. Elle ne savait quoi, mais, devant elle, quelque chose bougeait, gémissait, s'agitait au ras du sol.

Subitement, elle prit peur. La chose à terre pleurait toujours avec d'étranges petits cris qui rappelaient les plaintes d'un chien malade.

Un chien ! Etait-elle sotte ! Mais oui, c'était un chien, rien de plus. Elle décrocha vivement la torche qui flambait au-dessus de sa tête et à pas de loup s'avança.

C'était bien un chien. Elle s'agenouilla. Un petit lévrier gris, frêle et malingre, aux pattes grêles, aux yeux si tendres qu'ils avaient toujours l'air de pleurer.

Elle tendit la main avec précaution. Le chien la lécha avec reconnaissance..

Il portait un riche collier serti de turquoises et de l'écusson aux armes du Roi. « Courte ! La levrette du Roi ! Il n'y avait pas de doute, c'était elle, la petite Courte, favorite de Charles IX. »

Elle l'appela tout bas :

— Courte... Courte...

La levrette remua la queue. Il y avait une telle détresse dans ses grands yeux humides qu'Isabelle se demanda ce qu'on avait bien pu lui faire de mal. Elle devait avoir été battue, à moins qu'elle n'ait reçu un coup de pied d'un page ? Courte tremblait comme une feuille quand Isabelle la souleva avec mille précautions et la prit dans ses bras. Elle la caressa pour la réconforter :

— Nous allons vous ramener chez votre royal maître et tant pis pour ce qu'il en dira !

Quelle ne fut pas la surprise des gardes du corps qui se trouvaient devant l'entrée des appartements de Charles IX !

— C'est Courte, déclara Isabelle, la chienne du Roi. Je l'ai trouvée...

Un homme arrivait en courant. Quand elle le reconnut, Isabelle éprouva une grande émotion. C'était le comte de Villeron... Raoul !

— Que faites-vous là ? lança-t-il, avec sécheresse.

— C'est Courte... répéta-t-elle.

Le comte jura et s'approcha en deux enjambées.

— Oui, c'est bien elle ! Venez !

Avec brusquerie, il l'entraîna à sa suite, la guidant par un bras. Il marchait si vite qu'elle faillit cent fois se rompre le cou en trébuchant, mais il ne parut pas se rendre compte de sa difficulté à le suivre.

— Attendez-là ! dit-il en la laissant asseoir.

Des cris, des imprécations lui arrivaient, des sortes de hurlements sauvages qui faisaient trembler les murs. Seule sur son coffre, Isabelle commençait à céder à la panique. Le Roi était de mauvaise humeur. Qu'allait-il dire en la voyant ?

— Où est passé Villeron ? Ah ! te voilà maudit ! Tu n'as pas retrouvé Courte !

Un rugissement de fauve et puis le craquement sec d'un tabouret que l'on renverse, le piétinement furieux d'un homme exaspéré qui marche de long en large.

— Sire, répliqua calmement la voix du comte... Je venais pour vous informer... Courte est retrouvée, saine et sauve...

Un silence et puis la voix du Roi :

— Comment ! Que ne le disais-tu plus tôt !

La porte s'ouvrit. Isabelle se leva avec précipitation, préparant sa révérence.

— Ah ! Te voilà ! Viens ici, Courte ! Viens ici, gredine ! Tu sais que tu mériterais le fouet !

Isabelle, abîmée dans sa révérence, avait ouvert les bras et Courte s'était jetée dans ceux de Charles IX.

— Relevez-vous, chuchota le comte de Villeron, le Roi vous parle... Elle se redressa et, pour la première fois, elle vit Charles IX. Il portait une robe de chambre de satin vert garnie de boutons d'argent. Nu tête, il souriait. Il devait vite passer de la colère au sourire ! Ses yeux verts pétillaient de malice. Stupéfaite, Isabelle ne reconnut pas en ce jeune homme aimable et détendu le roi taciturne rencontré au bal, ni le chasseur féroce qui avait, lors de la curée, éventré lui-même le cerf encore fumant. Ce n'était qu'un prince de vingt-deux ans, aux cheveux châtains, à la belle barbe rousse et qui possédait un charme évident.

— Ainsi c'est la jeune demoiselle qui vous a retrouvée, ma petite Courte, dit Charles IX.

Il se tourna tout d'une pièce vers le comte, le prit par les épaules. Il était grand mais paraissait frêle à ses côtés.

— Un très bon choix, Raoul, mon ami ! Mais je doute que ma mère y consente ! Approchez, demoiselle...

Il souriait, gentiment, si simplement qu'Isabelle obéit sans crainte ni confusion. Ce Roi avait le don de mettre les gens à l'aise. Son parrain avait raison, lui qui le connaissait mieux que quiconque.

— Tout ce que je peux faire pour vous..., commença Charles IX.

Il s'interrompit, paraissant se souvenir d'un important détail. Il les conduisit loin de la porte, devant la grande cheminée. Il se détendit instantanément, sourit à Isabelle qui n'y comprenait rien.

— Votre main, Demoiselle...

Isabelle tendit une main tremblante. Charles IX s'en saisit, la garda un instant dans la sienne, chaude et large, puis portant son regard vers le comte de Villeron.

— La tienne, comte !

Isabelle tressaillit. Le Roi réunissait leurs deux mains ! Et il riait, heureux, insouciant, comme un petit garçon qui vient de faire une bonne farce :

— Vous voilà fiancés ! J'espère que ma mère ne m'en tiendra pas rancune ! Tu viens, Courte ?

Isabelle, déconcertée, n'eut que le temps de s'effacer dans une révérence chancelante. Charles IX n'était déjà plus là.

— Venez, souffla Villeron. Il avait gardé la main

d'Isabelle dans la sienne. Nous avons à parler tous les deux !

Isabelle sentit le mur froid contre ses omoplates, puis le carcan des bras musclés du comte sur ses épaules, glissant jusqu'à sa taille, encerclant ses hanches, l'enveloppant toute.

— Tu ne parles jamais, protesta-t-il. Regarde-moi ! Tu m'en veux pour l'autre jour ? Qu'importe ! Je te ferai changer d'avis ! J'ai le droit de savoir tout de toi, de tes craintes, de tes hésitations ! Quand le roi de France donne son consentement à des fiançailles, nul ne peut les défaire. Pas même la Reine-Mère !

Isabelle ne bronchait pas plus qu'un animal captif. Elle l'écoutait. Elle aurait eu envie de s'accrocher à ses larges épaules, de poser sa tête sur sa forte poitrine et d'écouter battre le tambour de son cœur jusqu'à la fin des jours...

Elle n'osait pas songer à ce que serait la colère de la Reine-Mère !

— Je ne veux pas me marier, déclara-t-elle.

Il prit son visage crispé entre ses mains. Et comme dans le pavillon il chercha ses lèvres. Et elle fut incapable de lui refuser. Cette fois le baiser se prolongea. Il voulait la sentir sienne et elle cédait.

— Tu es faite pour moi, murmura-t-il d'une voix rauque. Ne le sens-tu pas ? Isabelle... Je ne veux plus que tu te refuses et je ne veux plus attendre... Un râclement discret de gorge les fit se retourner, encore enlacés.

Un homme en pourpoint gris se tenait à quelques pas, fort gêné. Il tenait dans ses mains un écrin de velours cramoisi.

Amadis s'avança.

Isabelle ne se posa pas la question de savoir ce qu'il faisait là. Tout était tellement étrange cette nuit ! Sa première réaction fut celle d'une joie sans arrière-pensées. Puis, pudiquement, elle se dégagea des bras du comte de Villeron qui la laissa faire avec un demi-sourire ironique.

— Le Roi s'est souvenu d'un détail, dit-il. Lors de fiançailles, même aussi particulières que celles-ci, il est d'usage d'offrir un présent à la fiancée. Il vous envoie ceci, comte, afin que vous le remettiez de sa part à votre fiancée.

Et puis soudain il éclata de rire. Isabelle, émue, retrouvait le jovial compagnon de son enfance.

— Seigneur ! dit-il en se frappant le front. Quand je songe à la petite fille d'il y a à peine trois ans !

Raoul ouvrait l'écrin.

— Oh ! Amadis, c'est vraiment trop beau !

Rougissante de plaisir, Isabelle découvrait un magnifique anneau d'or au chaton orné d'une ravissante agate qu'entouraient quatre petites roses d'or.

— Soyez donc notre témoin, déclara Raoul

— Ma foi ! dit Jamyn avec une mimique facétieuse, je ne suis que clerc mais je pourrais toujours vous bénir, mes enfants !

Isabelle tendit la main. Elle regardait la bague que Villeron venait de passer à son doigt.

— Et maintenant, déclara Jamyn, en l'embrassant sur les deux joues, je peux te féliciter ! A quand le contrat ?

— Aussitôt que le baron de Malguérande sera rentré d'Angleterre, répliqua Raoul.

— Bravissimo ! Bon ! Je me sauve, les tourtereaux. Le Roi m'attend. J'ai fort à lire cette nuit ! Il ne peut trouver le repos. Je ne sais ce qui le ronge !

Ils prêtèrent soudain l'oreille. La voix de Charles reprenait son registre tonitruant. Amadis grimaça.

— Villeron ! hurla le Roi, si fort que son cri traversa le mur. Raoul pâlit.

— Je cours le faire patienter. Pendant ce temps, raccompagnez Isabelle, Jamyn.

Elle le regarda s'engouffrer dans la chambre du Roi. Il était subitement redevenu le froid et ténébreux capitaine des gardes du corps, le fier Lorrain dont Catherine de Médicis se méfiait. Elle préférait celui qui la prenait dans ses bras.

CHAPITRE V

Isabelle courut jusqu'à l'antichambre du Roi. Une foule déjà s'y pressait, bruyante, remuante. Les pourpoints des gentilshommes côtoyaient les robes des dames venues là pour guetter le passage de la reine Elisabeth quand elle se rendrait à la chapelle pour entendre la messe. La cérémonie du lever touchait à sa fin. Isabelle cherchait des yeux le comte de Villeron. Elle ne le vit pas. Par contre, elle aperçut le capitaine Larchant, époux de la piquante Diane de Vivonne, dame d'honneur de la Reine-mère.

Elle se fraya un passage jusqu'à lui.

— Remplacez-vous le comte de Villeron ? lui demanda-t-elle.

Le séduisant capitaine était un galant homme et ne dédaignait pas les troublantes beautés brunes du genre d'Isabelle. Il s'inclina, la main sur le cœur, quelque peu ironique.

— Oui, ma toute belle ! Puis-je le remplacer également auprès de vous ?

Isabelle haussa les épaules.

— Où pourrais-je le rencontrer, c'est très urgent.

— Tenez, dit Larchant, le duc de Montpensier doit savoir...

Elle rattrapa Montpensier qui avalait les distances d'un pas de fantassin.

— Monseigneur...

Louis de Bourbon, duc de Montpensier et pair de France, fit volte-face.

— Ah ! la petite Malguérande ! dit-il en lissant sa moustache poivre et sel... Tudieu ! Raoul a bon goût ! Dommage que j'aie déjà repris femme ! Que me voulez-vous, ma belle enfant ?

— Je cherchais le comte justement...

Montpensier parut embarrassé :

— Mais, ma chère petite, il n'est plus là ! Le Roi l'a envoyé de bon matin porter un message à mon beau-frère, à Joinville ! Il ne sera de retour que dans quatre ou cinq jours, le temps d'aller jusqu'en Champagne et de revenir à bride abattue.

— Savez-vous l'heure à laquelle il est parti ?

La question était étrange mais Montpensier avait d'autres soucis en tête pour s'en étonner.

— Avant l'aube, ma belle !

Si Charles IX l'avait retenu pour écrire un message, il avait tout de même dû avoir une heure pour faire ses adieux à Mme de Sauves !

— Vous semblez désolée, mon petit ? s'inquiéta Montpensier... Ne vous mettez pas martel en tête ! Raoul reviendra vite ! Il vous sait seule à Blois en butte aux avances des beaux jeunes gens qui ne rêvent que de vous tenir une fois dans leurs bras ! Je le connais ! Il brûlera les étapes !

Elle sourit, vaguement rassurée, le regarda s'éloigner. A petits pas, un peu découragée, elle tenta de regagner la salle des Gardes. Sur le seuil, elle se heurta à cinq gentilshommes qui venaient en sens inverse, courant presque.

Isabelle fit encore quelques pas. La salle des Gardes était vide. Seuls quatre autres archers sur le pas de la porte qui s'ouvrait sur le grand escalier, le dos tourné, discutaient.

Soudain, elle se sentit agrippée aux épaules. Elle se débattit, épouvantée, essayant de se débarrasser de cette étreinte sans y parvenir. Elle luttait contre une ombre, n'osant se retourner, puis elle retrouva l'usage de sa voix :

— Au secours !

Les quatre archers tournèrent la tête en même temps et se précipitèrent, tandis qu'elle se défendait toujours contre ce poids qui l'immobilisait.

Un des archers avança une main. Un corps tomba lourdement à terre. Isabelle vit des doigts crispés sur le pommeau d'une épée qu'on n'avait pas eu le temps de dégainer...

Le premier des archers se pencha, stupéfait :

— C'est monsieur de Lignerolles !

Le second porta ses regards vers l'antichambre :

— On a dû l'attaquer sur le seuil et le bousculer. Trop surpris, il n'a pas eu le loisir de crier. Je vois une traînée de sang qui part du chambranle. Il a dû s'y adosser un moment...

— Prévenez le Roi !

— Que se passe-t-il ?

— On vient d'assassiner monsieur de Lignerolles !

Le capitaine Larchant courait vers eux. Isabelle enregistrait tous les bruits et les mouvements comme dans un cauchemar, sans réagir ni bouger. Elle regardait ses mains qui avaient cherché à repousser Lignerolles. Elles étaient pleines de sang.

— Mais qui l'a tué ? cria le capitaine Larchant.

— Villequier ! C'est Villequier ! Je l'ai vu, c'est lui qui a bousculé Lignerolles ! Il avait un poignard ! Ils avaient tous des poignards ! Ils étaient cinq !

Un petit homme tout ébouriffé accourait, la mine scandalisée. Isabelle reconnut dans un brouillard le secrétaire François Fournier, contrôleur général de l'Argenterie.

— J'étais devant la porte, expliqua-t-il, essoufflé, sur le moment je n'ai pas très bien saisi l'ampleur de la scène. Mais quand j'ai vu Lignerolles tituber et s'accrocher à cette demoiselle...

— Oui, moi aussi je l'ai vu ! disait une voix haut perchée. C'est La Guerche !

Dans l'émotion du moment, on oubliait Isabelle et sa robe de satin pervenche tachée de sang. Elle, inerte, hébétée, contemplait ses mains.

Quelqu'un la prit par les épaules. Elle leva les yeux entrevit son parrain, et Amadis Jamyn.

— Ce n'est pas possible, balbutia-t-elle d'une voix incrédule... Lignerolles... tué...

— Oh ! Ma chère ! gloussa la duchesse de Nevers qui se trouvait près d'eux... Vous êtes si pâle ! Si vous aviez assisté aux pendaisons d'Amboise... !

— Par la Mort-Dieu ! Qu'est-ce encore ?

La voix de Charles IX retentit impressionnante, faisant taire les cris et les murmures.

— Ecartez-vous... Le Roi !

En deux enjambées, Charles IX fut près du corps que nul n'avait osé toucher même du bout du pied.

Il était aussi blanc que le velours de son pourpoint. Il porta la main à sa poitrine, toussa :

— Seigneur ! haleta-t-il, qu'on enlève ce cadavre ! Qu'on arrête les coupables ! Capitaine !

Il se tournait vers Larchant. Georges de Villequier et ses complices n'étaient, évidemment, plus là.

— Ils n'iront pas loin ! hurla Charles IX gesticulant comme un beau diable. Qu'on les pende ! Qu'on les écartèle ! Ne pourrais-je vivre un seul jour de paix !

Il repartait, jurant, tempêtant, cassé en deux par une toux sèche, opiniâtre.

— La canaille est partout ! vociféra-t-il avant de claquer la porte du cabinet derrière lui... Vous n'êtes que des incapables ! Qu'on double la garde !

Isabelle, entraînée par Ronsard et Amadis, ne pouvait détacher ses yeux du corps raidi de Lignerolles que deux archers emportaient sans ménagements.

Elle fermait les yeux, les rouvrait, en vain. Sans cesse elle revoyait les mains de Lignerolles cramponnées à ses épaules, et puis ses mains à elle le repoussant, le corps de l'homme s'affaissant comme celui d'un pantin, ses yeux vitreux qui la fixaient étonnés, sa bouche ouverte, arrondie sur un cri qui n'avait pu franchir ses lèvres...

— Non, non...

Elle claquait des dents, balbutiant des mots sans suite où le nom de Catherine de Médicis, de Monsieur et de Lignerolles revenaient trop souvent pour ne pas alerter Ronsard.

— Belle, mon petit, reviens à toi...

Comme une folle, elle repoussa son parrain, des deux mains, lui décocha un long regard épouvanté, comme si elle avait eu un spectre devant elle.

— Qu'ai-je fais ? dit-elle. Je ne savais pas... Je ne voulais pas qu'il meure...

Ronsard et Jamyn la virent secouer la tête.

— La Reine-Mère l'avait bien dit... Trois jours... Mais plus de trois jours sont passés, n'est-ce pas ?

Elle interrogeait Ronsard, le tirant par la manche de son pourpoint. Inquiet, le poète coula un regard stupéfait à Jamyn par-dessus l'épaule d'Isabelle.

— On dirait qu'elle... commença Jamyn.

Puis, il se tut n'osant aller jusqu'au bout de ses pensées.

Mais soudain Isabella bouscula ceux qui l'entouraient et se mit à courir dans l'escalier sous les yeux stupéfaits de ceux qui descendaient chez la Reine-Mère.

— Cette petite est complètement folle ! dit l'une des dames d'honneur.

— Eh là ! Où courez-vous si vite, mon ange ?

Bussy, qui montait aux nouvelles, l'intercepta d'une main sûre.

Le visage décomposé, hagarde, Isabelle se débattit, les ongles en avant.

— Tenez-là bien, baron ! hurla Amadis qui, dévalait les marches à la suite de la jeune fille, elle nous fait une crise de nerfs !

Amadis, rouge, les cheveux en désordre, arrivait à leur hauteur, ses mains esquissaient des gestes de négation.

— Non, non surtout pas ! Qui sait ce qu'elle peut avoir ? Il faut...

— La faire taire ! gronda la voix acerbe du comte de Retz, dans leur dos... Poussez-vous monsieur Jamyn !

Amadis s'écarta, livide.

— A-t-elle... parlé... dit quelque chose ? s'enquit le comte de Retz l'air soupçonneux.

Bussy qui frottait ses épaules du plat de la main avec de petites grimaces de souffrance, haussa le sourcil :

— Qu'aurait-elle pu dire qui vous regarde ?

Pendant ce temps, Isabelle, aveugle et sourde, luttait toujours contre ses fantasmes.

Dans son délire, elle vit grossir un poing que l'on brandissait vers elle. Elle hurla. Alors, le comte de Retz frappa et fit cesser les cris. Penché, un sourire de satisfaction sur ses lèvres minces, il contempla son œuvre. Inerte, molle, les yeux révulsés, la nuque ployée, Isabelle s'était effondrée sans connaissance dans les bras de Jamyn.

Portant Isabelle évanouie dans ses bras, Amadis descendit, Pierre de Ronsard, muet et anxieux derrière lui.

⁂

Isabelle se trouvait dans une chambre inconnue, perdue dans un rêve singulier.

Une lueur apparut, se rapprochant d'elle à une allure vertigineuse. Elle battit des paupières.

— Elle ouvre les yeux ! dit une voix de femme. Elle est sauvée !

Isabelle commençait à percevoir le miroitement des meubles tout autour d'elle, un ciel de lit au-dessus de sa tête, des draps sur son corps à demi-nu. Puis, vivace, comme affolée, la petite flamme d'une chandelle toute proche.

Un visage un peu flou se pencha vers elle.

— Comme je suis heureuse, ma petite... Vous allez bien vous porter maintenant...

— Qui... êtes-vous ? bredouilla Isabelle, au prix de mille difficultés.

Sa voix passait à peine ses lèvres. Dans sa semi-torpeur elle s'affola. Elle ne pouvait plus parler ! La femme inconnue esquissa un sourire :

— Ne vous agitez pas... Ce n'est qu'un début, demain...

Quand elle se réveilla, un jour avare pénétrait par les interstices d'un riche vitrail multicolore qui fermait une fenêtre, juste en face du lit. Et, tout de suite, étonnée, elle se rendit compte qu'elle mourait littéralement de faim ! Avec mille précautions, elle tourna la tête. Assise non loin d'elle, une femme brodait, la tête un peu penchée, de longs voiles sombres cachant en partie son visage.

Un court instant, Isabelle crut voir la Reine-Mère, mais la femme releva la tête et elle se rendit compte avec soulagement qu'elle était bien plus jeune et plus jolie.

Eclaircissant le filet de voix qui lui venait, elle balbutia :

— Je... je crois... que j'ai... très faim.

— Seigneur Tout Puissant ! Quelle bonne nouvelle ! s'écria l'inconnue.

Isabelle écarquillait les yeux. La mémoire lui revenait en vrac : Lignerolles ! La Reine-Mère ! Le Roi... le comte de Retz ! Que s'était-il passé pour qu'elle se retrouve dans cette chambre inconnue ? Etait-ce le même jour ? Elle avait si mal à la tête, elle était si lasse qu'elle en doutait un peu...

— Ne vous inquiétez pas ! Vous êtes à l'hôtel d'Alluye. Quand vous vous lèverez, de la fenêtre, vous apercevrez le château. La Reine-Mère vous a fait transporter ici il y a huit jours alors que vous étiez en proie à une étrange fièvre. C'est très généreux de la part de Sa Majesté !

Huit jours ! Elle était restée huit jours malade ?

Mais alors, Raoul de Villeron devait être rentré de Joinville ? Brusquement, elle oubliait Lignerolles et ses angoisses, elle ne songeait plus qu'à lui, sans elle à Blois. L'avait-il cherchée ? Regrettée ? Ou bien s'était-il facilement consolé de son absence avec Charlotte de Sauves ?

Soudain, Isabelle put mettre un nom sur ce doux visage.

— Veuillez me pardonner madame d'Alluye, je ne vous avais pas reconnue... Je suis... si lasse.

Elle battit des cils, chassant des pensées importunes.

— Ne vous torturez point trop l'esprit ! gronda gentiment Mme d'Alluye en voyant Isabelle se renfrogner.

— Je veux m'en aller, murmura-t-elle. Retourner au château... Il faut que je sache...

« Savoir quoi ? » Ce qu'elle n'ignorait déjà plus ? Ce que son intuition lui soufflait ? Désormais, elle était à la merci de la Reine-Mère. Elle était entrée dans le jeu sans réfléchir aux conséquences, et plus que jamais la Reine-Mère tiendrait à garder sous sa coupe une petite personne aussi efficace !

Drapée dans ses soies noires, Mme d'Alluye se dirigea vers la porte. Sur le seuil, elle se retourna.

— Je vais vous faire monter quelque bouillon des cuisines ! dit-elle...

Un silence pesant fondit sur Isabelle. Les mains devant la bouche, elle lutta contre une subite houle de larmes. L'idée qui venait de la traverser, horrible, pernicieuse lui donnait la nausée : et si la Reine-Mère avait l'intention de faire disparaître le comte de Villeron à son tour ? Il courait peut-être un grave danger et que pouvait-elle faire pour lui, enfermée dans cette chambre ?

Et son parrain ? Et Amadis ? Savaient-ils au moins où elle était ? Cette histoire était tellement embrouillée qu'elle se perdait à essayer d'en trouver le fil conducteur. Elle fit un terrible effort de concentration.

La dernière scène, la scène du grand escalier lui revenait par lambeaux. Elle criait. Bussy la maîtrisait. Amadis gesticulait, puis le comte de Retz. Après, elle ne savait plus. Le trou noir. Cependant, elle ne comprenait pas pourquoi la Reine-Mère avait jugé utile de la faire transporter hors du château. Avait-elle craint qu'elle ne parle à tort et à travers durant sa maladie ? Madame d'Alluye était bonne, serviable, mais toute dévouée à Catherine de Médicis. Elle ne pouvait songer à la questionner.

On gratta à la porte. Isabelle oublia un peu ses idées noires quand on lui présenta un bol de bouillon. Sur la table jouxtant le lit, la servante déposa une neige de crème et de beaux raisins blonds, un pichet et une coupe. Au moins elle ne mourait ni de faim ni de soif !

— Ah ! Cela fait bien plaisir de vous voir si bon appétit ! s'extasia Mme d'Alluye quand elle revint cinq minutes plus tard.

Après lui avoir raconté les derniers événements Mme d'Alluye ajouta :

— Figurez-vous que le comte de Villeron a refusé de saluer l'Amiral ! Vous savez ce qu'il a osé répliquer au Roi qui le sommait de s'exécuter ? « Jamais je ne m'abaisserai devant un assassin, doublé d'un hérétique ! » Le duc de Montpensier avait beau l'engager à retirer ces paroles injurieuses, il ne l'écoutait pas !

Une main griffait sa gorge, et elle cherchait son souffle.

— Vous avez trop mangé, peut-être ? s'inquiéta Mme d'Alluye.

— Non ! Racontez-moi la suite de cette histoire... C'est inconcevable...

— N'est-ce pas ? Bah ! La suite ? Je ne peux rien vous dire ! Je n'ai reçu aucune visite. Mais de toute façon, Sa Majesté enverra quelqu'un aux nouvelles avant la fin de la journée.

Sur le pas de la porte, une main sur la poignée, Mme d'Alluye se retourna une dernière fois :

— Si vous avez besoin de quoi que ce soit, utilisez la petite sonnette qui se trouve sur le dressoir.

Retombée sur l'oreiller de soie, Isabelle éclata en sanglots.

Quand Mme d'Alluye revint, elle l'attendait de pied ferme. Une heure lui avait suffi pour recouvrer son courage perdu.

— Vous vous êtes levée ! s'exclama la dame d'honneur... Ce n'est guère raisonnable !

— Si, ça l'est, bien au contraire ! Ne pouvez-vous dépêcher un valet au château et prévenir mon parrain, monsieur de Ronsard ? Je dois lui parler !

— Je ne peux pas, dit Mme d'Alluye, je dois attendre les ordres de Sa Majesté...

Isabelle fit un bond. Prisonnière... c'était donc ça ?

— Ne pourrai-je voir ma famille ? balbutia-t-elle. Si ce n'est mon parrain, du moins mon frère quand il sera là ? Je suis prisonnière, n'est-ce pas ? Parce que j'ai désobéi à Sa Majesté ?

Sans réponse de Mme d'Alluye, Isabelle essaya de l'attendrir.

— Comprenez-moi, madame, commença Isabelle. Je suis en souci pour... Autant tout vous dire ! J'aime le comte de Villeron ! Et les révélations que vous m'avez faites tout à l'heure m'ont alarmée... Il faut que je sache s'il ne lui est rien arrivé de fâcheux... Aidez-moi !

Madame d'Alluye jeta un regard courroucé à la jeune fille :

— Je vous l'ai déjà spécifié : seule Sa Majesté...

Signifiant que l'entretien était terminé, Mme d'Alluye se dirigeait vers la porte :

— Dormez, dit-elle. Je reviendrai plus tard.

— Faites ce que bon vous semble !

La rage au cœur, Isabelle écouta une fois de plus la porte se fermer : elle était bel et bien prisonnière ! De quel droit ? Oui, de quel droit la Reine-Mère disposait-elle ainsi de sa personne ? Après avoir brandi devant elle le spectre d'un affreux mari, elle la bouclait, sous bonne garde, l'éloignant de la Cour, de Raoul, de ses amis et de sa propre famille... Comme un chien enragé !

Etendant ses mains devant elle, elle contempla sa bague de fiançailles. Son courage, elle le puiserait dans la vue de ce joyau qui lui rappelait sans cesse les douces promesses du comte. Mais aussi ses folies !

Pourquoi avait-il injurié l'amiral de Coligny.

⁂

Une main secouait Isabelle.

— Réveillez-vous... Sa Majesté est là !

La Reine-Mère ? Il fallait que la situation fut grave pour qu'elle se dérangeât ! Elle s'assit, la tête bien droite, une pointe de défi dans le regard.

Madame d'Alluye l'observa avec une sorte d'effarement scandalisé.

— Peut-être faudrait-il que vous vous leviez... On ne reçoit point la Reine-Mère, couchée !

— Je suis malade, madame d'Alluye... Vous devriez le savoir, depuis le temps ! répondit Isabelle avec dédain.

— Moins malade que vous ne voudriez le faire croire, ma petite ! vitupéra la dame d'honneur.

Isabelle fixait sa bague, brillant dans la pénombre comme l'étoile du salut. Sa hardiesse, ses espoirs résidaient là.

La Reine-Mère entra. Elle était seule. Isabelle, éberluée, la dévisagea. Devant ses yeux étonnés et incrédules se tenait une grosse bourgeoise vêtue de drap noir. Mais le visage était bien celui de Catherine de Médicis ! L'œil qui vous transperçait comme une flèche était bien celui dont Isabelle redoutait la férocité. Elle n'éprouva plus qu'une humiliante crainte.

Elle examinait Isabelle sans aménité, un peu narquoise. Puis, au bout d'un long moment, elle marcha vers le lit.

— Tu as maigri ! laissa-t-elle tomber comme la suprême des injures. Que tu es laide ! Aucun homme digne de ce nom n'éprouverait de plaisir à te courtiser !

Un peu désorientée, les draps sous le menton, Isabelle s'interrogeait sur l'attitude étrange de la Reine-Mère, quand celle-ci, d'une voix feutrée, reprit :

— J'ai demandé au Roi de défaire Villeron de sa charge de capitaine... Je voulais qu'il l'exile ! Il a refusé... à moi, sa mère, il a refusé... Je ne me trompe jamais... Je connais les hommes ! Mais Charles est un fou qui ne se souvient de rien ! Il est souvent dupé, toujours content de l'être comme l'était son père ! Heureusement que je suis là pour mettre de l'ordre dans ses affaires !

Elle ricana :

— Pour Lignerolles, nous avons accompli du bon travail, toutes les deux, n'est-ce pas ? Il n'y a que sa femme, cette sotte, pour le pleurer... et elle n'ose trop montrer sa peine... On ne pleure pas un idiot !

Elle paraissait prendre un plaisir intense à cette pensée. Son grand rire brutal, sonore, résonna dans le silence de la chambre.

— Mais, TOI, tu m'as menti ! accusa soudain Catherine. Que tu es donc niaise ! Tu t'es défiée de ta Reine... tu as recherché l'appui du Roi... Pourquoi ? Me prenais-tu pour une imbécile ?

— Votre Majesté... jamais je n'ai...

— Tais-toi ! Tu parleras quand je t'en donnerai l'ordre, pas avant ! Ce mariage... y pensais-tu réellement ? Épouser un Guise, pire, un bâtard des Guise ! Aller t'enfermer dans une cage à lapins avec cette punaise de Louise de Villeron ! Est-ce pour cet avenir minable que tu es venue te mettre sous ma protection ? Est-ce pour mentir à la première occasion que tu as accepté de me servir ? Tu mérites un châtiment exemplaire... Le couvent pour te remettre l'esprit en place !

Elle agita les mains devant ses yeux.

— Basta ! n'en parlons plus ! Parce que tu m'as bien secondée dans l'affaire Lignerolles, parce que le

Roi a beaucoup d'affection pour ton parrain et que Monsieur me l'a expressément demandé à la requête de ton frère, je veux bien te pardonner...

Elle se leva, un papier dans la main :

— Villeron a cru bon de mêler le Roi à cette histoire ! Voilà ce que tu vas faire maintenant : tu vas lui rendre son gage de fiançailles et rompre par lettre, tout de suite ! Je ne veux surtout pas heurter le Roi alors que Coligny est arrivé, plein de bonnes intentions... Que je n'entende plus parler de ce mariage, compris ?

D'un mouvement brusque, elle jeta le papier sur le lit :

— Ecris...

Sidérée, Isabelle se saisit de la plume qu'elle lui tendait. Cette scène était trop irréelle.

La tête vide, elle regardait la nuit s'appesantir derrière les vitraux de la fenêtre. Elle n'avait ni faim, ni soif, ni même envie de se rebeller. Elle avait sommeil, tellement sommeil. Elle aurait écrit n'importe quoi pourvu qu'on la laissât dormir en paix !

Isabelle, d'une plume égarée, traça les premières lettres :

« ... *Monsieur, pour des raisons que vous saurez comprendre et qui ont trait à votre situation financière...*

— Eh bien alors ? Tu n'écris plus ?

Des larmes plein les yeux, Isabelle considérait la feuille blanche qui dansait devant elle au rythme des battements de son cœur. La stupeur et la docilité en elle, faisaient lentement place à une sourde indignation.

— Non, dit-elle tout haut...

Les prunelles de Catherine de Médicis se rétrécirent dangereusement :

— Comment, non ? Qu'est-ce que ça veut dire : non ?

Ancrée dans sa résolution, Isabelle se raidit davantage :

— Cela veut dire que je ne renoncerai pas au comte, Votre Majesté... Je l'aime et je veux l'épouser...

— Tu l'aimes ! Crétine !

Prompte comme l'éclair, Catherine de Médicis se pencha vers Isabelle, l'empoigna par un bras et la secoua

— Tu sais ce qu'il peut t'en coûter de me désobéir ? Je te chasserai de la Cour, pour toujours !

Les ongles de Catherine de Médicis pénétraient dans sa chair, coupants comme des griffes.

— Oui, Votre Majesté, murmura-t-elle d'une voix blanche.

— Et tu persistes dans ton erreur ? Prends garde, ma fille ! Ma patience a des limites !

Les yeux clos, avec le visage indéchiffrable d'une martyre, Isabelle hocha la tête. Des larmes roulèrent sur ses joues pâles.

Alors, avec un rugissement de rage, la Reine-Mère lâcha son bras, l'envoyant promener à l'autre bout du lit. Dans la chair nacrée d'Isabelle les doigts de Catherine de Médicis demeuraient inscrits en rouge.

Madame d'Alluye qui attendait derrière la porte entrebâillée, se précipita.

— Votre Majesté ?

— Je dois partir. Budart viendra demain matin chercher la lettre. Surveillez-la bien.

A nouveau, elle présentait à Isabelle son visage des mauvais jours :

— Tu écriras cette lettre ! cingla-t-elle, tu as la nuit devant toi ! Suivez-moi, d'Alluye... J'ai encore à vous parler, ajouta-t-elle en tournant les talons.

CHAPITRE VI

Après une journée passée à désespérer, à échafauder toutes sortes de plans d'évasion, tous plus rocambolesques les uns que les autres, Isabelle, épuisée, dormait depuis une bonne heure d'un sommeil agité et fiévreux.

Soudain elle s'éveilla, les sens en alerte. La nuit était totale. Dressée sur ses coudes, le cœur battant, elle se passa une main tremblante sur les yeux. Quel rêve étrange elle venait de faire : il y avait quelqu'un derrière la fenêtre qui grattait le vitrail... Un rêve ?

Pétrifiée, elle tendit l'oreille. C'était comme si quelqu'un désirait attirer son attention.

Glacée d'épouvante Isabelle se força cependant à tourner lentement la tête vers la fenêtre et retint une exclamation. Une ombre s'agitait en contre-jour, s'effaçait par moments, puis réapparaissait.

— Isabelle ! entendit-elle appeler tout bas.

Elle s'arracha du lit, pieds nus, les cheveux dénoués, et se précipita vers la fenêtre, que d'une main ivre d'espoir, elle ouvrit en grand.

Un homme sauta dans la chambre.

— Mon ange... Quelle escalade ! Cinq minutes de plus et je lâchais tout ! Pourquoi choisir de tels endroits escarpés pour votre retraite annuelle ?

— Bussy ! s'extasia Isabelle comme devant une apparition céleste.

— Eh ! Oui.! Ma toute belle ! Bussy en chair et en os... Bussy qui pour atteindre Vénus gravit les murailles du ciel.

Il plaisantait comme d'habitude, là, devant elle, merveilleux de naturel, point gêné d'arriver par la fenêtre comme un voleur, point surpris non plus de la voir dans cette chambre.

— Bussy ! répéta-t-elle... Et comme il souriait, elle éclata en sanglots. Titubante, elle s'abattit contre la poitrine du garçon.

Instinctivement il referma les bras sur elle, la berçant d'une voix caline :

— Là, là, c'est fini ce gros chagrin ?

Elle suffoquait, riait à travers ses larmes... Bussy ! Elle ne pouvait y croire !

— Vous êtes venu, soupira-t-elle, mais... comment ?

Elle s'écarta soudain de lui. Elle courut jusqu'au lit, se drapa dans la courtepointe et le gratifia d'un regard interrogateur. Des questions se bousculaient sur ses lèvres.

Il s'avança, le sourire fataliste, un brin moqueur, mais déçu dans le fond :

— Soit ! concéda-t-il. Je vois que la récompense du sauveur n'est pas pour cette nuit. Mon cœur, expliquez-moi à présent ce que diable vous faites ici ? Voilà une semaine que je guette les allées et venues de Budart : elles m'ont mené jusqu'ici. J'ai soudoyé, fort délicieusement une servante et...

— Vous voilà ! l'interrompit Isabelle avec vivacité.

Il était là, il allait l'aider. Elle s'évaderait ! Elle quitterait Blois, la Cour, cette fosse aux lions ! Elle...

— Comment avez-vous pu grimper jusqu'à cette fenêtre ? demanda-t-elle prise d'une subite inspiration.

— Le plus logiquement du monde : le long du mur, muni d'une solide corde et d'un grappin !

— Pensez-vous que je puisse emprunter le même chemin ?

Bussy se gratta la tête, dubitatif :

— Ma foi ! On peut toujours tenter l'expérience, si vous tenez tant que cela à quitter votre retraite !

Sans plus attendre, Isabelle avait rassemblé ses maigres effets et retranchée derrière un paravent s'habillait avec une hâte fébrile.

— Dites-moi, s'inquiétait soudain Bussy, qu'avez-vous fait pour que l'on vous tienne prisonnière ? Cela a-t-il un rapport avec la mort de Lignerolles ?

— Je vous expliquerai lorsque nous aurons quitté cette prison, dit-elle en le suivant près de la fenêtre.

En se penchant, elle eut un sursaut. La nuit sans clair de lune, le vide étourdissant...

Elle se rejeta en arrière avec un gémissement :

— Le vertige ? grommela Bussy d'un air entendu. Ça ne va pas être de tout repos, jeune dame !

Isabelle serra les dents. Vertige ou pas, il fallait bien qu'elle descende cette maudite façade !

— Je tiendrai le coup, assura-t-elle d'une voix ferme.

— C'est parfait, mon ange. Je passe devant pour vous recevoir si jamais vous éprouviez quelque malaise. Une fois arrivé en bas, je lance le cri de la chouette, compris ? Et vous vous laissez glisser à votre tour. Si vous avez mal au cœur, fermez les yeux, mais surtout, quoiqu'il arrive, ne lâchez jamais la corde, entendu ?

Isabelle émit un « oui » très faible.

Un pied déjà sur le rebord, Bussy jeta un bras vers elle, l'attira vivement contre lui, la serra :

— Morbleu ! soupira-t-il... Vous êtes aussi courageuse que belle, j'aime ça !

Et, se penchant sur sa bouche, il l'effleura d'un rapide baiser. L'instant d'après, il attrapait la corde, se laissait couler vers le fond du vallon.

Quand, parvenu au but, il lança l'appel convenu, elle éprouva un court moment de panique. Sur le point de s'élancer, elle se retourna, embrassa la chambre d'un regard indécis... Rester là, attendre le bon vouloir de la Reine-Mère, s'affaiblir jusqu'à l'épuisement physique et moral, céder en fin de compte ? Jamais ! Plutôt se rompre le cou !

Stimulée par sa rancune, elle se hissa sur le bord de la fenêtre, jeta une main vers le grappin accroché au contrefort, s'assura de sa tenue. Les jambes battant dans le vide, elle fit une courte prière, ferma les yeux avec résolution, et prit son élan. Elle se sentit glisser irrésistiblemeint, emportée par son poids. Au prix d'un effort surhumain, empêtrée dans ses triples jupes, elle tâtonna des pieds en aveugle, réussit à serrer un bout de corde entre ses jambes... Il était temps ! Les muscles de ses bras sollicités au-delà de toute résistance humaine criaient grâce. Rassemblant ses forces, elle amorça sa descente aux Enfers... Son cœur cognait si fort qu'il lui semblait, au fur et à mesure qu'elle descendait qu'il n'était plus dans sa poitrine mais dans ses oreilles, puis finalement dans sa tête... Elle étouffait. Ses mains écorchées brûlaient terriblement et la douleur devenant intolérable, elle ne put s'empêcher de lâcher la corde.

Incrédule, frappé d'épouvante, Bussy la vit tournoyer, ses longs cheveux flottant comme une somptueuse cape de nuit. Il leva les bras dans un sursaut, l'agrippa, comme morte, les yeux clos, respirant avec force. Sous le choc, il tomba à la renverse, roula en contrebas, se raccrochant aux buissons.

— Petite folle, vous auriez pu vous tuer !

Il s'assit, étourdi, la secoua... Elle pleurait, le nez contre son épaule dure.

— Je n'en pouvais plus, gémit-elle. Mes mains sont en sang...

Il l'aidait à se remettre sur pied. Elle chancelait.

Bussy, admiratif, émit un léger sifflement :

— Ma chère, après cette démonstration de notre courage, nous pouvons nous offrir un remontant dans une taverne de ma connaissance !

⁂

Bussy l'avait coduite dans une auberge, la veille après leur folle équipée, une auberge tranquille, le Petit-Paris. Isabelle y serait à l'abri, le temps que puisse s'arranger cette pénible affaire d'amour et d'intérêt.

Bussy avait accepté d'aider Isabelle autant qu'il serait en mesure de le faire. Il avait promis en la quittant de ne souffler mot à quiconque de sa cachette, sauf au comte de Villeron qu'il s'était engagé à ramener... de gré ou de force ! Elle porta son attention sur la petite servante qui achevait le lit et maintenant, à genoux devant l'âtre, activait le feu de bois.

— Jeanine... C'est bien ainsi que tu t'appelles, n'est-ce pas ?

La fille se tourna vers Isabelle :

— Oui, noble demoiselle...

Isabelle sourit. Tout de suite, elle s'était sentie attirée par cette gamine douce, au sourire sans mystère qui avait pansé avec dévotion ses mains blessées.

— Chut ! dit-elle... Il n'y a point de noble demoiselle ici ! Tu sais fort bien ce que je t'ai dit hier soir ?

Isabelle se pencha sur une malle d'osier qui garnissait un pan de mur. L'aubergiste la rangeait habituellement dans son grenier mais après force palabres Isabelle avait pu la lui acheter. Elle y avait, pendant la nuit, rangé la robe d'Anna d'Atri et ses accessoires, en attendant de l'emplir avec la lingerie et le strict nécessaire qu'elle entendait s'acheter avant de quitter la ville.

Elle défit les attaches, souleva le couvercle, gênée par les pansements qui recouvraient ses mains, et cueillit tout au fond de la malle une petite bourse que Bussy lui avait glissée dans les mains avant de partir. Isabelle la soupesa du regard, calculant ce dont elle avait besoin. La malle avait été sa toute première dépense... Maintenant, voyons, que lui fallait-il ?

— Connais-tu un fripier qui vende d'assez beaux habits ? demanda-t-elle à la servante. Et aussi un mercier ? Un savetier ?

Jeanine acquiesça :

— Bon. Quand tu en auras terminé avec ton travail de la matinée, tu courras me choisir une tenue décente, une robe de velours ou de laine car il commence à faire froid, mais surtout pas voyante, tu as compris ?

Quand elle eut terminé, la petite fit une courte révérence. Isabelle lui tendit la bourse :

— Et surtout ne la perds pas en chemin ! Je ne suis pas riche !

— Mademoiselle peut me faire confiance !

Isabelle n'avait qu'une hâte, que Raoul soit là ! S'il voulait toujours d'elle, malgré tous les ennuis qu'occasionnerait ce mariage, elle deviendrait sa femme. Elle irait vivre à la Cour du duc de Guise, ou bien en Brie, en Champagne, partout où il serait, partout où il la mènerait, mais loin de son frère et de son parrain, afin qu'ils ne la trouvent plus jamais ! Ils s'étaient bien assez moqués d'elle ! Une seule chose était certaine à ses yeux : elle ne retournerait jamais à la Cour !

Soudain, elle entendit gratter à la porte... Seigneur ! Etait-il possible que ce fût déjà lui ?

Anxieuse, elle se précipita sur son miroir. De son aventure nocturne, outre ses mains égratignées, elle gardait une ecchymose au coin de l'œil droit, une grosse tache bleue qui virait lentement au violine. Elle se pinça les joues pour leur donner l'illusion de la santé, se mordit les lèvres jusqu'au sang. Tout en gagnant la porte, une main comprimant les battements de son cœur, de l'autre elle lissait ses cheveux, les plis froissés de sa jupe... Défaillante, elle tourna la poignée...

— Ma petite ! Quelle peur tu nous as faite !

Bouche bée, Isabelle demeura un quart de seconde les bras ballants, puis, reprenant son sang-froid, elle voulut rabattre le vantail sur son parrain qui se tenait là, la mine inquiète. Elle en amorça le geste, mais déjà Pierre de Ronsard, d'autorité, passait le seuil.

Alors, à le voir si sûr de lui, trop calme pour ne

pas couver quelque brusque colère et sachant d'avance ce qu'il venait lui jeter à la figure, la rage s'empara d'elle ; elle se refusa à lui adresser la parole, et lui tourna le dos.

Sourde, aveugle, Isabelle s'était réfugiée près de la fenêtre.

— Belle... Bussy m'a raconté votre aventure... Tu aurais pu te tuer ! Regarde tes pauvres mains ! Ton visage ! Mais tu n'en fais toujours qu'à ta tête ! Je n'étais pas au courant... Tu es fâchée ? Un peu de courage ! Regarde-moi, voyons !

Elle obéit, livide.

Puis Pierre de Ronsard se laissa tomber avec un soupir excédé sur l'unique tabouret de la chambre.

— Je n'ai pas dormi depuis trois nuits, avoua-t-il sans fard. Je ne sais plus ! Tu m'as bouleversé avec tes idées bien arrêtées, tes révoltes, les questions auxquelles il m'était impossible de répondre... Tu as tout remis dans la balance ; pêle-mêle : mes aspirations, mes conceptions, mes doutes.

Envolée son hostilité... Soudain il s'en remettait à elle, à son jugement. Honteux, plein d'amertume, désabusé. La gorge serrée, Isabelle se précipita vers lui, se jeta à ses pieds.

— Alors... Tu n'y es pour rien ? Ce n'est pas toi ?

Pierre de Ronsard caressa le visage pathétique :

— Je t'ai crue autrement faite, mon petit... C'est bien moi l'unique responsable de ce gâchis !

— Non ! Ne dis pas ça ! Moi aussi j'ai des torts ! J'aurais dû plier, obéir sans discuter... L'amitié de la Reine-Mère s'accueille comme un don de Dieu. Et moi, je me suis révoltée. Mais je ne pouvais pas, c'était plus fort que moi, parrain... J'avais beau me dire que je devais rester calme, je ne pouvais pas... Et puis... Je l'aime !

Isabelle vit Ronsard se raidir. Elle s'écarta vivement de lui, angoissée.

— Tu as vu Bussy, n'est-ce pas... et tout de suite

après tu es allé avertir le comte de Villeron ? Tu lui as tout appris ? Il va venir ? Mais réponds !

Devant lui, l'Isabelle qu'il avait vue grandir disparaissait sous le masque farouche d'une femme amoureuse qui revendiquait ses droits... Une femme inconnue... Pourtant, il se sentait encore le protecteur de cette âme sauvage.

— Ne me dis pas que tu ne l'as pas prévenu ? haleta-t-elle, n'osant encore y croire...

— Je vais être franc, Isabelle... Et ne monte pas sur tes grands chevaux ! Je n'ai rien dit à Villeron ! Je ne lui ai rien dit parce que je tenais à te parler avant tout... Tu dois savoir...

— Je ne veux rien savoir !

Elle recula, l'œil flamboyant.

— Tout ce que tu pourrais m'apprendre, d'autres me l'ont cent fois répété ! Le comte est pauvre, je le sais ! C'est un fanatique, peut-être vendu aux Espagnols ! Un Lorrain. Mais à mes yeux...

Sa voix se fêla... Le poète, la tête basse l'écoutait, interdit, écrasé par la force de cet amour contre lequel soudain il ne se sentait pas le pouvoir ni le droit de lutter...

— A mes yeux... Il n'est que l'homme que j'aime, parrain, un homme fier et courageux... Le seul rempart que j'ai trouvé pour me soutenir...

La profondeur de cette passion exaspéra le poète... Etre ainsi aimé ! Villeron était un rustre qui ne méritait pas qu'une femme comme Isabelle lui engageât toute sa vie ! Une jalousie absurde le força à bondir.

— Un coureur de dot, oui, jeta-t-il.

Isabelle sursauta et lui lança un regard plein de haine.

— Je ne te crois pas ! gronda-t-elle. Il m'aime !

— Alors, veux-tu bien m'expliquer pour quelle raison depuis vos fiançailles, ton bel amour ne cesse de fréquenter avec une assiduité choquante sa maîtresse, madame de Sauves ? D'après ce que m'en a dit Amadis, votre mariage devait se conclure dès le retour de ton frère... Ton capitaine ne pouvait-il, sachant cela, patienter quinze jours ?

Elle tapait du pied, écarlate :

— Si tu ne cesses pas immédiatement de critiquer Raoul, je te somme de prendre la porte et de ne plus te présenter devant moi, comme je l'ai fait avec Gilles ! N'espère pas m'attendrir !

Elle marcha sur lui, la bouche venimeuse :

— Maintenant je vais me battre ! Crois-tu que ce fut gai pour moi de me réveiller à l'hôtel d'Alluye avec une geolière muette comme une carpe ?

Elle respirait fort, les narines pincées, un sanglot nerveux lui échappa :

— J'ai seize ans, parrain... L'as-tu oublié ? Seize ans depuis quinze jours ! Et j'ai mal, car je me suis rendu compte subitement que la plupart des hommes ne sont que des lâches, des hypocrites ou bien des égoïstes qui ne pensent qu'à gaspiller leur patrimoine.

« La vie que tu m'as montrée est laide, parrain, je n'en veux pas ! Moi, je veux vivre à ma guise, créer un univers bien à moi où nul ne viendra me dicter ma conduite ! Je suppose que j'en ai le droit ?

Elle se tut, essoufflée, la bouche frémissante. Elle chancelait, comme vidée de ses forces après ce morceau de bravoure. Alors, furieux contre lui-même, Ronsard la ramena contre sa poitrine, coucha sa tête sur son épaule :

— Ne pleure plus, voyons, tout est oublié...

Doucement, tendrement, il la câlina, la main dans ses cheveux, essuyant son visage baigné de larmes :

— Apaise-toi... Je ne suis qu'un vieux fou ! J'aurais dû m'en rendre compte bien avant, lorsque je te regardais courir à travers champs. Tu n'es pas née pour ce monde, Isabelle... Tu n'es qu'une petite ondine du Loir... La plus belle mais la plus sauvage.

Et s'emparant du petit visage d'Isabelle, le gardant dans ses mains, il ajouta, d'une voix rauque :

— Pardonne-moi... Tout d'abord, je vais parler au comte de Villeron, ensuite si je peux obtenir l'assistance de Nicolas de Villeroy en ce qui concerne l'établissement du contrat, ce sera déjà un point d'acquis. Sitôt la cérémonie achevée, vous partirez pour la Brie ou la Champagne et me laisserez calmer la Reine-Mère. Avec l'appui du Roi, j'y parviendrai.

— Parrain ! Et moi qui pensais que tu étais contre nous !

Elle lui sauta au cou et l'embrassa sur les deux joues.

— Mademoiselle... ! Regardez ! J'ai trouvé...

Jeanine faisait une entrée fracassante, les bras chargés de paquets.

— Eh bien ! dit Isabelle en riant volontiers... Voilà de quoi m'habiller pour cent ans !

— Cela m'a coûté cent livres, expliqua Jeanine... Mais la bourse contient plus de deux cents écus !

Cependant Ronsard s'alarmait :

— D'où vient cet argent ?

— Regarde toi-même le blason, Bussy ! Ce gentil fou ! Comment le rembourser à présent que j'en ai dépensé une bonne partie ?

— Bah ! Ton mari s'en chargera..., dit Ronsard. Mais j'y pense ! Il va falloir que j'écrive à Hervane, la pauvre ! Tu en feras autant de ton côté... Par la même occasion tu lui demanderas de te faire parvenir ton trousseau.

....

Un petit groupe de cavaliers suivait la route tortueuse qui longeait la Loire. Soudain la jument d'Isabelle se cabra.

Bussy qui la suivait s'approcha d'elle. Isabelle ouvrit la bouche pour le renseigner mais déjà fondait sur eux le cheval de Raoul qui sauta à terre.

Sans un mot à l'adresse de Bussy, il s'accroupit devant la petite jument.

— Une foulure, je crois bien ! maugréa Raoul, tâtant la jambe antérieure gauche de l'animal... Là, là, ma belle, du calme... !

Isabelle ne pouvait intercepter son regard et, la gorge serrée elle se posa une fois de plus la question qui depuis leurs retrouvailles lui trottait par la tête... Pourquoi Raoul, au lieu d'être reconnaissant à Bussy d'avoir sauvé la femme qu'il aimait, lui tenait-il ouvertement rigueur de cette initiative ?

Elle se mordit les lèvres, appela Pierre de Ronsard qui à son tour, flanqué d'Amadis Jamyn, mettait pied à terre :

— Ma jument s'est blessée, dit-elle.

Elle tendit la main et Bussy le premier, toujours galant, lui offrit son poing pour l'aider à descendre de selle.

Impassible, Raoul les observait.

— Nous changerons de monture à Cléry, fit-il d'un ton froid. Je ne voulais pas m'arrêter si près de Blois, mais nous n'avons pas le choix. Mon cheval ne supporterait pas une plus lourde charge...

Il semblait d'assez mauvaise humeur. Du reste, il n'avait pas décoléré depuis que Ronsard —, savait-on en quels termes ? — l'avait mis au courant de la situation. Isabelle ne le reconnaissait plus ! Mais elle savait qu'il y avait deux hommes en lui : celui qu'elle aimait et qui l'aimait et l'orgueilleux Lorrain capable de n'importe quelle folie pour sa cause.

Il interpella Ronsard, assez discourtoisement :

— La nuit tombe. Je suppose que vous nous quittez là ?

Guettant les réactions de son parrain, elle surprit son regard. Il portait autant de haine et de mépris que celui du comte, si ce n'est davantage !

— Certes ! Amadis et moi allons rebrousser chemin, dit-il en tendant les bras à Isabelle, un sourire crispé au coin des lèvres.

Tandis qu'elle se précipitait d'un élan incontrôlable dans les bras du poète, refoulant ses larmes, elle revit la petite chapelle dans laquelle une heure auparavant, un prêtre les avait mariés, Raoul et elle...

Oui, depuis une heure, elle était la comtesse de Villeron devant Dieu.

Devant les hommes, cela s'était fait un peu plus tôt, dans la petite chambre de l'auberge du Petit-Paris.

Curieuse cérémonie en vérité !

La Jeanine qu'Isabelle avait décidé de garder à son service, et Barthélémy, un gamin de dix-huit ans, valet du comte, avaient complété le nombre des témoins

Il en fallait beaucoup, le contrat étant à cette époque l'unique preuve d'une union. Les signatures apposées, on était sorti en toute hâte de la chapelle. Une petite algarade entre les Montpensier et Raoul avait bien failli interrompre ces singulières noces ! Depuis le comte boudait. C'est à peine s'il avait écouté la bénédiction nuptiale.

Ils avaient tous été bien gentils mais agaçants, avec leurs recommandations, leurs soupirs, leurs trémolos !

Ronsard, de son côté, était resté silencieux ! Elle voyait bien qu'il n'était pas heureux de ce dénouement auquel cependant il ne s'était plus opposé après leur altercation.

Isabelle, quant à elle, ne se souciait plus de rien ! Quelle prise aurait pu avoir la Reine-Mère sur la nouvelle comtesse de Villeron ? Désormais, elle était sujette du duc de Lorraine, française encore, mais féale des Guise, protégée par la puissance de leur Maison qui pour être affaiblie depuis l'édit de Saint-Germain n'en demeurait pas moins vivante. Elle avait désobéi ? Soit ! Elle payait le prix de sa rebellion : elle quittait la Cour de France !

— Sois heureuse, chuchota Ronsard, d'une voix feutrée. Mais n'oublie pas que je serai toujours là, à t'attendre, quoiqu'il puisse arriver...

— Je t'en prie, murmura-t-elle d'une voix précipitée, je suis heureuse, oui, n'en rajoute pas !

Raoul qui les observait à la dérobée, méfiant, surprit son manège. Il fronça les sourcils. Il se rapprocha et prit Isabelle par la taille en un geste possessif.

— Que vous a confié ce vieux fou ? Vous semblez bouleversée ?

— Vraiment rien d'important ! Il m'a vue grandir. Il me considère toujours comme une enfant... Il a bien le droit d'être triste !

Elle cherchait les yeux de son mari et lui vit un visage contracté.

— La peste soit de ces rimailleurs ! jura-t-il avec emportement. J'espère que celui-là ne vous a point légué ses sentiments timorés ? Pour ma part je ne suis guère superstitieux, bien qu'infiniment catholique ! Tenez, la foudre vient de tomber toute proche, derrière ces arbres, là-bas... Certaines demoiselles portent un fragment de corail entre chemise et peau pour s'en protéger !

— Comme... Madame de Sauves ? s'entendit-elle répliquer d'une voix aigre.

Plein de morgue, il éluda la question. Il avait tourné la tête vers Bussy qui les regardait d'un air calme et attentif :

— Et vous, baron, vous restez bien entendu ? lança-t-il d'un ton rogue.

Bussy sourit puis écarta les bras en signe de perplexité :

— Je suis soucieux, dit-il. Il me serait agréable de pouvoir vous escorter pendant encore une lieue ou deux. Isabelle serait mieux protégée avec deux épées plutôt qu'une, aussi brillante soit-elle...

Raoul demeura un instant sur la défensive, puis, lentement, comme à regret, il admit :

— Vous avez raison, Bussy ! Moi non plus je ne suis pas tranquille !

— Vous savez mieux que personne, commença Raoul, puis aussitôt, il se tut. Bussy, jeta-t-il d'une voix altérée... Vous avez entendu ?

Bussy approuva du menton.

— Entendu quoi ? souffla Isabelle, apeurée par leur expression...

Les buissons venaient de s'écarter, livrant passage à trois cavaliers masqués, enroulés dans une cape noire, la toque rabattue sur les yeux.

Avec un rugissement, Bussy sauta à terre, l'épée à la main et vint se placer aux côtés du comte.

Les hommes avancèrent, leur monture au pas.

C'était une étrange scène, un peu irréelle et Isabelle n'arrivait pas encore à éprouver de la peur. La surprise primait tout.

— Saint-Sulpice ! hurla soudain Bussy, gesticulant comme un beau diable... Tu peux ôter ton masque, espèce d'imbécile ! Je t'ai reconnu !

Complètement déchaîné, il piqua le gras du cavalier de la pointe de son épée. Instantanément l'autre fit sauter son masque.

C'était bien le jeune Saint-Sulpice, gentilhomme de Monsieur. Il mit pied à terre, imité par ses deux compagnons.

— A votre tour, messieurs, grommela Raoul, vos masques !

Les deux hommes s'exécutèrent... L'un était Annibal de Coconat, mais, quand, dans le troisième homme, Isabelle, stupéfaite, reconnut Le Guast, son sang ne fit qu'un tour. Elle n'écouta que son indignation et fit un pas en direction des hommes.

— Une embuscade, parfait, messieurs ! grondait Raoul.

Le jeune Saint-Sulpice baissait la tête, lorgnant Bussy d'un œil incertain et penaud :

— Foi de gentilhomme, Louis, j'ignorais que je devrais en découdre avec toi !

Bussy ricana méchamment, appuyant la pointe de son épée sur le pourpoint du jeune homme, à l'endroit du cœur :

— Saint-Sulpice, tu n'es qu'un petit sot ! Je te frotterais bien les oreilles, c'est tout ce que tu mérites ! Allez ! Déguerpis ! Cette histoire ne te regarde pas !

Sans réfléchir, Isabelle se jeta entre les combattants.

— Arrêtez !

La voyant surgir, les cheveux devant les yeux, hagarde, Raoul blémit. Il étendit les bras, lui barrant le passage :

— Que venez-vous faire ici ? Restez en arrière avec votre servante !

Détournant la tête, elle croisa le sourire cruel de Le Guast.

— Je crois, bien au contraire, que j'ai mon mot à dire, reprit-elle, courageusement.

Le Guast émit un rire plein de mépris :

— Bâtard ! Demande à ton épouse ! Elle saura mieux que moi t'expliquer ce qui n'est un mystère pour personne sauf pour toi !

Isabelle ferma subitement les yeux, atterrée. Ce Le Guast était un monstre, mais, pour une fois, n'avait-il pas dit la vérité ? Se pouvait-il qu'elle eût éveillé chez Monsieur une telle passion sans même lui avoir adressé la parole ? Comment faire comprendre cet enchaînement de circonstances à Raoul ? Elle le savait déjà si féroce, si susceptible ! Lui annoncer brusquement que le frère du roi la recherchait, il était capable de rebrousser chemin et d'aller lui demander raison.

Cependant la main que Raoul avait refermée autour du cou de centaure de Le Guast relâchait son étreinte. Le comte tourna brusquement les talons, rengainant son épée d'un coup sec. Crucifiée, Isabelle le vit regagner sa monture sans un regard vers elle.

— Alors... tu ne te bats plus, sale bâtard ? hurla Le Guast, humilié par le brusque revirement de Raoul.

— Non ! trancha froidement le comte, du haut de sa monture. Je laisse à Bussy le soin de régler cette affaire, qui, sans aucun doute le concerne plus que moi !

Déjà il tournait bride.

— Comte ! C'est une provocation !

Bussy sauta sur lui-même, braquant sa lame en

direction de Raoul. D'une main, Isabelle l'intercepta.

— Non, articula-t-elle d'une voix blanche... Je vous en prie ! C'est assez pour ce soir !

— Tu n'es qu'un lâche, Villeron ! s'exclama Le Guast.

Raoul haussa ses épaules massives, superbement indifférent.

— Un instant, laissa-t-il tomber, j'avais cru que l'on vous envoyait à cause de mon éclat d'avant-hier... Mais puisque apparemment il n'en est rien... Adieu, Messieurs !

Isabelle s'était jetée en avant, retenue par les bras robustes de Bussy. Furibonde, elle se débattait.

— Lâchez-moi ! Je dois le suivre... Lui expliquer...

Bussy fit la moue.

— Tudieu ! Quel gâchis ! Mais je lui ferai rendre gorge sous peu !

— Allez, Isabelle ! Courez après votre impossible Lorraine, ma chérie, et bon courage !

Cramponnée aux rênes, Isabelle luttait contre ses larmes. Au passage, dans l'ombre, elle avisa Jeanine que Barthélémy aidait à remonter sur sa mule.

L'émoi de sa servante lui fit mesurer sa faiblesse. Ce n'était pas sanglotante et honteuse qu'elle aurait le dernier mot avec Raoul.

Bravement elle essuya ses yeux d'un revers de manche...

Avant Saint-Dié, elle l'aurait rejoint...

CHAPITRE VII

La pluie tombait, battant furieusement le chassis de la petite fenêtre. Isabelle regardait cette eau qui déferlait sur la grande cour carrée du Castel-Roy... Au centre se formait déjà une petite mare grise qui faisait la joie des canards.

— C'est le déluge ! gémit Jeanine en claquant la porte de la chambre derrière elle.

Isabelle n'avait pas eu la force de se déshabiller, bien que sa robe fût mouillée jusqu'à la trame. Il lui semblait que, même sous les fourrures les plus chaudes, elle ne quitterait plus jamais le froid persistant qui glaçait ses veines. Voilà trois heures qu'ils étaient arrivés au Castel-Roy, chez eux. Et pour y trouver qui ? Outre sa belle-mère, la comtesse Anne-Louise, la duchesse douairière de Guise et sa petite-fille la duchesse de Montpensier, installées comme en territoire conquis, donnant des ordres, sûres de leurs prérogatives !

Isabelle se sentait frustrée... C'est à peine si ces dames avaient daigné lui adresser la parole ! A ce souvenir, elle s'empourpra, prit Jeanine à témoin de son infortune :

— Je n'avais pas mon mot à dire... On me regardait sur toutes les coutures et avec quelle morgue ! Evidemment, je devais avoir l'air misérable avec mes cheveux dégoulinants, ma robe trempée... ! C'est... à devenir... folle !

Elle avait voulu tenir bon, mais c'était brusquement plus fort qu'elle... La colère, l'angoisse, la souffrance, qui depuis plus de huit jours et huit nuits l'habitaient, la firent s'abattre en travers du lit.

Aussitôt elle se redressa, la crinière en bataille :

— Et puis, je déteste la Brie... Je déteste cette ferme pouilleuse !

— Sûr que vous auriez dû écouter votre parrain et pas épouser le comte ! soupira Jeaninc.

— Vas-tu te taire, fille stupide... De quoi te mêles-tu ? Viens plutôt m'aider à me déshabiller !

Ah ! Qu'elle tienne un jour Le Guast, rien qu'un instant au bout d'une escopette chargée et elle lui ferait sauter la cervelle sans l'ombre d'une hésitation. Non seulement ce fourbe lui avait gâché sa nuit de noces mais toutes celles qui avaient suivi ! Car, de Saint-Dié à Provins ses nuits avaient été solitaires, insomniaques, vécues en cauchemars, crises de larmes, imprécations et désespoirs ! Raoul avait révélé son caractère. Il était intraitable, entêté, taciturne. Par moments, il lui faisait presque peur ! Etait-ce normal enfin, cet éloignement qu'il s'efforçait de maintenir à tout prix, accueillant avec une froideur méticuleuse ses timides tentatives d'approche. Parfois, aux haltes, ou pendant le voyage, quand leurs montures se frôlaient, elle l'épiait et lui voyait un visage sombre, fermé, des mâchoires serrées comme sous un pénible effort de domination... Il ruminait sa rancune, se contentant des basses calomnies de Le Guast... Pire que son parrain, pire que tous ! Mais elle était sa femme à présent. Il faudrait bien qu'arrive l'instant des explications, puisqu'ils avaient désiré cette union aussi furieusement l'un que l'autre.

Isabelle se sentait plus que jamais désespérée. Jeaninc attendait son bon vouloir pour l'habiller.

— Oui, les bas ! grogna Isabelle. Mais ensuite ?

Que mettre ? Ma robe est toute mouillée et je n'ai rien d'autre !

— Justement, ma chère, je venais vous porter cette bagatelle que je ne mets plus... Si elle vous agréait...

Isabelle et Jeanine sursautèrent avec un bel ensemble. Sur le seuil, la duchesse de Montpensier souriait, affable, toute menue dans une très élégante tenue de campagne vert foncé.

Elle s'écarta du seuil et derrière elle apparut sa chambrière qui tenait dans ses bras une robe de velours amadou aux chauds reflets de bronze. Elle déposa sa charge sur le lit puis s'éclipsa.

Catherine de Montpensier s'avança, de sa démarche claudicante dont elle parvenait presque à faire un charme de plus.

— Je l'avais fait tailler tout particulièrement pour mes séjours à la campagne, dit-elle... Cela fait bien un an que je ne la porte plus.

Parvenue au lit, elle se retourna, considéra Isabelle, toujours en chemise et tonujours muette, sidérée par son apparition.

Catherine de Montpensier, ravalant un brusque début de colère, bouscula les formalités :

— Allons, ma chère, hâtez-vous ! Votre chambrière vous aidera à vous vêtir ; pendant ce temps, si vous le voulez bien, je vous coifferai... Il ne faut pas que pour votre premier repas au sein de la famille vous soyez en retard... N'est-ce pas ?

Isabelle contenait sa rage et esquissa un sourire aimable.

— Je ne sais comment vous remercier... Vous être ainsi dérangée, madame...

— J'éprouve un plaisir que vous ne sauriez deviner à la seule pensée de faire une surprise à Raoul en vous prêtant cette toilette, murmura Catherine de Montpensier. J'ai grandi près de lui, je le connais bien ! Il est très à cheval sur la discipline familiale. Que voulez-vous ma chère, en de si exceptionnelles circonstances, les dames sont tenues de s'habiller. Il y a également la présence de ma grand-mère, la duchesse-douairière de Guise qui vous oblige à faire honneur à votre nouveau nom. Je sais qu'elle admettrait encore moins que Raoul un accroc à la tradition !

Isabelle piaffait d'indignation mais le masque imperturbable qu'elle opposait à la perfidie de la duchesse aurait étonné Catherine de Médicis elle-même !

Madame de Montpensier parlait, parlait, bien trop pour ne pas ressentir à son tour quelque début d'irritation devant le calme et le mutisme d'Isabelle.

Dès le premier regard, Isabelle l'avait devinée, avait flairé l'hypocrisie en elle. Une jalousie féroce envers celle qui devait lui paraître comme une intruse.

— Un détail encore, reprenait Catherine, d'une voix âpre. Vous attendrez que ma grand-mère vous ait adressé la parole pour faire de même. Vous êtes sa féale, tâchez de ne pas l'oublier, comme celle de mon frère Henri, puisqu'il est Gouverneur de la Brie et de la Champagne.

C'était trop, beaucoup plus qu'Isabelle n'en pouvait supporter sans broncher !

— Vous semblez oublier un détail à votre tour, duchesse, répliqua-t-elle, j'étais demoiselle de la Reine-Mère et je connais l'étiquette !

Catherine de Montpensier ne sourit pas, ne répliqua pas. Elle se contenta de jauger son interlocutrice comme elle l'eut fait avec une bête curieuse, et au terme de cet examen, elle partit d'un grand éclat de rire :

— Par tous les Saints ! De quelle manière vous avez dit ça, ma chère !

Puis, aussi subitement qu'il était né, son rire se cassa net, elle avança une lèvre dédaigneuse .

— Vous n'êtes plus à la Cour de France !

Le regard de la duchesse brillait de tant de haine qu'Isabelle ne put s'empêcher d'en éprouver de la gêne et de l'amertume. Elle voyait clair dans cette âme soudain : Catherine la détestait... Mais pourquoi ?

— Vous êtes... belle, souffla tout à coup Catherine de Montpensier avec un visible effort pour contenir sa rage. Vous êtes aimée de Raoul, il suffit de l'observer quand il vous regarde, l'imbécile ! C'est indécent ! Mais ne chantez point trop victoire : vous n'êtes pas des nôtres et vous n'en serez jamais et c'est une tare que jamais, vous entendez, jamais, Raoul ne vous pardonnera !

— Nous verrons, ne vous en déplaise !

***

Isabelle respirait mieux. Ah ! Si cette chipie avait su lire en elle, deviner le don inestimable qu'elle venait de lui octroyer en lui parlant de la sorte, elle en serait morte sur place, foudroyée ! Elle lui redonnait le courage, le désir de la lutte. Raoul l'aimait... Elle n'en avait jamais douté véritablement mais la haine de Catherine de Montpensier, sa jalousie la délivraient du poids de l'incertitude ! Aussi ce fut avec un éclatant sourire qu'elle lui signifia son congé :

— Je vous rends grâce de la robe, murmura-t-elle en se levant et s'éloignant d'elle, comme d'un serpent venimeux...

Isabelle éclata de rire ! C'était peut-être anormal, mais elle était presque heureuse de cette altercation ! La jalousie de cette jeune femme, au moins tout aussi séduisante qu'elle, et duchesse de surcroît, la rendait toute puissante, victorieuse à ses propres yeux. Elle était la femme de Raoul, ils allaient tous voir ce dont elle était capable !

***

Les repas, au Castel-Roy, étaient communément pris dans la cuisine, large pièce chaude et intime, mais depuis quinze jours, pour honorer la duchesse-douairière de Guise, la comtesse Anne-Louise établissait ses quartiers dans la grande salle du rez-de-chaussée.

— Ah ! je suis bien aise de pouvoir vous rencontrer seule, ma petite, entendit soudain Isabelle.

Elle se leva poliment reconnaissant la duchesse-douairière de Guise qui entrait, appuyée sur sa canne. Elle s'abîma dans une révérence, mais la vieille dame, bourrue, lui fit signe de se rasseoir :

— Allez, allez, pas d'histoires, nous avons à parler toutes les deux, de femme à femme !

Isabelle était un peu perdue. Elle ne savait quelle contenance adopter et surtout elle s'interrogeait sur ce que pouvait avoir à lui dire la vieille dame. Elle la savait très autoritaire, imbue de ses privilèges, voire tyrannique et méchante. Elle avait marié ses douze fils et filles aux plus grands noms de France et d'Europe.

Isabelle, intriguée, déjà presque conquise par cette étonnante personnalité, osa lever les yeux sur la vieille duchesse. Elle gardait, bien qu'elle s'approchât alertement des quatre vingt-six ans, un port de tête fier. Un sourire bienveillant illuminait son visage parcheminé, tandis qu'elle considérait Isabelle en silence. Mais à son regard incisif, sévère, rien n'échappait. Ni les cernes las qui plombaient les grands yeux tristes de la jeune femme, ni la splendeur chatoyante de sa longue chevelure libre de toute entrave, ni la lueur intelligente qui brillait au fond de ses prunelles grises.

Elle toussota :

J'aime Raoul comme tous mes petits enfants, plus profondément que les autres, peut-être, parce qu'il est celui qui a été le moins gâté et cela uniquement par ma faute... L'on me dit méchante, mais il y a trente ans, j'étais terrible ! Cependant c'est à moi et à moi seule que vous devez d'être entrée dans la famille ! Si j'avais mis mon veto, Raoul n'aurait pas insisté : il sait que j'ai toujours raison ! Quand il est venu à Joinville, il y a un peu plus de deux semaines, il m'a longuement parlé de vous, des projets qu'il formulait. Il craignait que sa mère ne s'y oppose mais j'ai mis le holà ! Anne-Louise n'a aucunement le droit d'empiéter sur la vie de son fils aîné... Je lui concède le cadet : celui-là lui appartient en propre. Raoul est Guise par le sang et de telles racines priment tout !

Elle se tut, perdue dans ses pensées.

Isabelle détourna la tête. Un mélange d'écœurement et de fierté se partageait son âme... Ainsi c'était donc vrai ce qu'on se répétait de bouche à oreille, plus ou moins ironiquement, à la Cour ? Raoul était un bâtard de M. de Guise ? Un bâtard certes, mais un fils de prince !

La duchesse frappait le sol du bout de sa canne :

— Tant que je vivrai, les Guise seront forts et je compte bien vivre assez longtemps pour inculquer mes principes à Henri et à ses frères... Quant à Raoul...

Elle esquissa un petit sourire plein de contrition :

— Je me suis toujours opposée à ce que François le reconnaisse comme son fils. J'ai donné un mari à Anne-Louise... Mais depuis, je n'ai cessé de regretter mon entêtement... Je l'aurais, du moins, enlevé à l'influence de cette fille de rien ! Enfin... c'est chose faite à présent car je crois que je peux vous faire confiance ! Vous allez l'aider, n'est-ce pas ? Je sais que vous êtes une fille de bonne race, élevée dans la droiture et la tempérance par un homme dont j'ai toujours respecté le talent... Et puis, Ronsard prenait encore la défense de ma famille quand mille placards la diffamaient sur tous les murs de France, et cela je ne risque pas de l'oublier !

Elle martela ses derniers mots d'un formidable coup de canne :

— Et ne me regardez pas comme si j'étais une vieille folle ! J'ai porté une dynastie, j'ai engendré des princes, des cardinaux, des reines, j'ai tenu tête à des rois et aux ans qui voulaient me faire courber. Je maintiens encore sûrement le gouvernail ! Néanmoins...

Ses petits yeux aigus pétillèrent de malice :

— J'ai surpris une mésentente entre vous deux ! N'avez-vous pas honte, sitôt après les noces ? Sachez plier, mon enfant, et pardonner leur égoïsme aux hommes ! La mansuétude est une arme redoutable pour qui sait s'en servir avec esprit !

Elle rit, d'un drôle de petit rire cassé :

— Devant mon défunt époux, j'ai toujours plié... et j'ai toujours obtenu gain de cause !

Elle se tut brusquement, Isabelle suivit son regard. Sur le seuil de la cuisine, en robe de drap gris, se tenait une grande et svelte femme d'environ une quarantaine d'années. C'était, sans conteste, une femme d'une grande beauté, sur laquelle les ans n'avaient point encore eu d'atteinte réelle.

— Anne-Louise ! grinça la duchesse douairière... Vous écoutez aux portes maintenant ?

La comtesse de Villeron sourit. Elle s'avança d'un pas souple vers la vieille dame, puis se penchant, l'embrassa sur le front avec déférence.

— J'étais curieuse de savoir si vous ne disiez point de mal de moi à Isabelle... Je vous connais, Madame !

Isabelle sentit ses cheveux se hérisser. Ainsi son intuition, comme pour la duchesse de Montpensier, ne l'avait point induite en erreur ? La comtesse n'était, elle aussi qu'une intrigante. S'il fallait se battre, elle se battrait contre plus fortes qu'elle !

— Ah ! Les voilà, je pense ! s'exclama la duchesse Antoinette.

En réponse à cette constatation, le cœur d'Isabelle s'emballa comme un pur-sang fougueux. Elle aurait voulu avoir la force et le courage de courir comme les deux chiens au-devant de Raoul mais une absurde pudeur, une fierté qu'elle se reprochait amèrement mais dont il lui était impossible de se défaire sous le regard ironique de sa belle-mère, la réduisaient à l'immobilité totale.

La porte s'ouvrait sur trois hommes trempés jusqu'aux os.

Ils étaient trois mais elle n'avait d'yeux que pour lui, lui si proche d'elle et si distant à la fois, distribuant des caresses à ses dogues, s'inclinant sur la main de la vieille duchesse, baisant le front de sa mère... Pour elle, rien. Pas même un regard. Son cœur se serra. Raoul se laissa choir sur un tabouret. Barthélémy s'agenouilla devant lui pour lui ôter ses bottes. Debout devant l'âtre, il avait retiré sa chemise et apparaissait torse nu, les bras musclés, la taille mince par rapport à ses larges épaules.

— Mon Dieu ; soupira la comtesse Anne-Louise avec une petite moue profondément dégoûtée... Cette pluie me rendra folle !

La comtesse se tourna d'un bloc vers son fils qui éclata d'un grand rire.

— Vous avez raison ! Je suis vraiment une égoïste de me plaindre alors que la pluie est si bénéfique à la terre ! Il y a bon nombre de détails que vous remarquez vite, Raoul... Par contre vous fermez les yeux sur beaucoup de choses... L'élégance de votre femme, par exemple. Ne l'avez-vous point regardée ?

Isabelle sursauta et lança à sa belle-mère un regard intrigué. Anne-Louise s'humanisait-elle ?

A la voix de sa mère, Raoul s'immobilisa, capta le regard d'Isabelle. Il y eut comme un fugitif éclair de joie dans ses yeux, vite éteint sous un froncement de sourcil réprobateur.

— Tudieu ! Cette robe... Où l'avez-vous prise ?

En deux enjambées, achevant hâtivement de boutonner son pourpoint, il fut devant Isabelle interdite Catherine de Montpensier l'avait bien eue ! Cette robe... Un piège en définitive... Mais lequel ? Elle comprenait brusquement le tour scélérat que lui avait joué la duchesse. Cependant, elle ne réagit pas. La fatigue des derniers jours peut-être ou une trop forte désillusion... Elle demeurait les bras ballants à le dévorer des yeux... Au fait, pourquoi tant de colère pour une simple robe ?

— Où l'avez-vous prise ? répéta-t-il, les traits convulsés.

— C'est moi qui la lui ai donnée, ne vous en déplaise, susurra une voix musicale derrière eux.

— Vous ! J'aurais dû m'en douter !

Et il marcha sur la duchesse de Montpensier, une lueur féroce dans le regard...

Isabelle retint un cri. Il y avait tant de hargne, de haine sur le visage hautain de Catherine de Montpensier qu'elle ressemblait à un démon. Elle en devenait laide. Elle regardait venir à elle le comte avec une effronterie qui frisait l'injure. Toute droite, elle le narguait.

— Oui, c'est moi, articula-t-elle d'une voix lente, dites-le, mais dites-le donc ce qui vous brûle la langue !

Raoul leva un bras comme s'il allait la frapper, puis il parut se raviser Dans un silence de mort, il recula d'un pas

— Allez vous changer ! jeta-t-il à l'adresse d'Isabelle...

Soudain, comme les trois hommes disparaissaient, aigu, insupportable, s'éleva le rire de Catherine de Montpensier.

Ce fut trop pour Isabelle. Elle bondit, tendit la main et par deux fois, de toutes ses forces décuplées par l'intense satisfaction de la vengeance, elle gifla la duchesse de Montpensier !

Puis, dédaignant l'exclamation horrifiée d'Anne-Louise, le rire grêle de la duchesse Antoinette, d'un pas d'automate elle gagna la porte de la cour, l'ouvrit, se précipita sous la pluie battante.

Elle courait comme une folle, droit devant elle sur le petit chemin de terre molle qui s'enfonçait en zigzaguant vers les labours.

Soudain, elle s'immobilisa, un point au côté. Indécise, elle regarda alentour. Où aller ? Elle se rendait compte de sa sottise, de la situation pénible dans laquelle sa bouffée de colère les avait tous plongés : Raoul, elle, Catherine de Montpensier... Gifler cette chipie ! Dieu ! Elle l'avait fait avec plaisir, mais qu'en dirait Raoul ?

Elle avança d'un pas hésitant vers une ferme d'où s'élevait une musique aigrelette. Des hommes, des femmes, satisfaits du travail fourni pendant la moisson s'étaient réunis, débordants de la même résolution : boire, rire, danser, vivre en un mot, le temps d'une longue nuit, oublier que demain serait fait de la même argile et qu'à l'aube il faudrait se lever, prendre le chemin des labours : la terre n'attend pas...

Subitement, Isabelle se sentit brûler d'une passion farouche pour cette terre briarde et pour ces hommes qui l'habitaient. Toute petite, elle avait maintes fois suivi son père et puis, par la suite, son parrain et Amadis... Le temps passait trop vite. De l'enfance à l'âge adulte, elle n'avait pas vu couler les jours et maintenant qu'allait-il advenir de la comtesse de Villeron ?

— Petite peste ! Quelle course ! Vous n'en ferez donc jamais qu'à votre tête ?

Isabelle tournoya sur elle-même, prise de vertige. Un homme courait vers elle. Elle défaillit, se raccrocha n'importe où. En l'occurrence à ce qui se trouvait être un tas de bûches et de fagots secs.

— Raoul...

A quelques pas, il s'immobilisa. Il la contemplait comme il l'eut fait d'une inconnue surgie à l'instant même : avec une sorte de curiosité mêlée d'inquiétude et de stupéfaction. Puis, comme elle ne bougeait pas, les bras repliés vers l'arrière, pétrifiée en vérité, il amorça un pas vers elle, puis deux... Isabelle le voyait s'approcher avec une espèce de crainte et d'impatience. Ils demeurèrent un instant face à face, elle statufiée, lui, le front buté encore mais avec une petite flamme taquine dansant au fond des yeux...

Enfin, il tendit les bras... Il ne lui en voulait donc plus ? Avec un petit gémissement, elle se jeta contre son torse, entourant instinctivement sa poitrine de ses deux bras. A son tour, il referma ses bras sur elle. Ils s'étreignirent en silence, le souffle court comme la première fois dans le pavillon des jardins de Blois... L'affolement, l'éblouissement, une pointe de rancune qui subsistait, mais nul n'en disait rien. Ils se contentèrent de l'instant présent, de cet amour qui les obsédait jusqu'au délire, les affaiblissait et leur faisait mesurer l'insignifiance de leur bouderie...

Une boule nouait la gorge d'Isabelle. Pourquoi avait-il attendu si longtemps ? Pourquoi ne lui avait-il pas gardé sa confiance ? Pourquoi avait-il fallu la perfidie de Catherine de Montpensier pour les réconcilier ?

— Mauvaise tête ! gronda-t-il de son habituel ton rogue. Qu'est-ce que j'apprends ? Vous avez giflé la duchesse de Montpensier ?

— Je déteste la duchesse, avoua-t-elle, boudeuse. Elle est mauvaise ! Et... vous-même ne l'aimez pas ?

— Catherine ? Je n'en sais trop rien ! Par moments, elle m'horripile, il est vrai ! Elle a trop été gâtée. Mais ne parlons plus d'elle...

Il resserra son étreinte avec passion :

— Tu es une petite folle, murmura-t-il dans ses cheveux.

Il s'écarta un peu, la maintenant fermement par la taille. Il souriait... Dieu ! Qu'il était beau quand il souriait de la sorte !

— Viens, dit-il.

Elle eut peur qu'il ne la ramène au Castel, qu'il ne la remette en présence de la comtesse Anne-Louise et de Catherine de Montpensier.

— Je vous en prie... Ne retournons pas là-bas !

— Ne fais pas l'enfant, la blâma-t-il avec sévérité... Ce soir, je t'emmène chez les Michaud... C'est la Saint-Michel... L'avais-tu oublié ?

La nuit passa en danses, chants et beuveries en l'honneur du comte et de sa jeune femme. Au matin, Isabelle, la tête pleine de projets s'accouda au tonneau, sourire aux lèvres.

— Vous ne dansez plus, belle dame ?

Sans se retourner, elle renversa sa tête sur l'épaule de Raoul.

— Non, je suis bien trop fatiguée !

Il lui effleura la tempe d'une caresse :

— Si nous rentrions, chuchota-t-il...

Raoul la soutenait d'un bras ferme et par moments elle s'arrêtait, cambrait sa gorge comme une colombe et riait à petits coups, follement... D'une chiquenaude il lui ébouriffa les cheveux :

— Vous êtes saoûle comme une grive ! constata-t-il avec gaieté... Madame la comtesse, à ce train-là, jamais nous ne regagnerons le Castel avant le jour !

Et se baissant, il enleva Isabelle de terre. Elle glissa ses bras autour de son cou et se laissa aller contre sa poitrine.

— J'ai sommeil, murmura-t-elle d'une voix pâteuse.

Raoul ouvrit la porte entrebâillée d'un coup de botte puis déposa Isabelle sur son lit. Il se tourna vers la cheminée. Le feu crépitait encore.

***

Une amertume sans borne broyait Isabelle parce qu'il lui avait annoncé qu'il devait la quitter, parce qu'elle sentait confusément que rien ne le retiendrait au Castel, pas même son amour, elle soupira :

— Raoul, que deviendrai-je sans vous ? Si vous passez votre vie à vous battre aux quatre coins de France...

C'était une simple constatation désenchantée mais il la prit pour un reproche délicatement déguisé, il s'irrita :

— Vous ferez comme toutes les femmes de votre condition : vous m'attendrez !

Elle allait lui répliquer vertement qu'elle n'avait jamais rêvé le rôle peu enviable d'une nouvelle Pénélope, quand on frappa à la porte.

— Madame... Madame, appela Jeanine... La duchesse de Guise s'en va. Elle aimerait vous dire au revoir.

— Je descends, clama Isabelle d'une voix âpre.

Ce que lui avait glissé à l'oreille la duchesse Antoinette au moment du départ avait quelque peu rasséréné Isabelle. « Courage, mon enfant, lui avait-elle dit de son petit ton sec qui recélait tant de bonté, j'ai l'œil sur Raoul. Je vais tout mettre en œuvre pour que vous puissiez venir nous rejoindre, à Joinville, d'ici peu. En attendant, consacrez-vous au domaine !

C'est ce qu'Isabelle entreprit, après un entretien assez difficile avec sa belle-mère.

— Je vais prendre en main le potager. Je compte le rendre productif. Je ferai de même avec les ruches. Quant au blé, au bétail, il me semble qu'une mise au point claire et nette s'impose entre nous, madame ? Michaud m'a parlé de Maître Grelier, notre créancier et des difficultés actuelles. Ce notaire habite Provins, je présume ? J'irai lui rendre un visite sous peu. Je pense pouvoir obtenir une nouvelle échéance avec ma dot en garantie, si cela était nécessaire.

Elle avait débité ce beau discours sans reprendre son souffle, sans regarder la comtesse, d'une voix calme. Entre ses cils, elle vit, oh ! imperceptiblement, le visage de sa belle-mère changer d'expression. Ce ne fut que l'espace d'un soupir. Elle n'avait même pas pâli. Elle rectifia d'une main nonchalante la tenue de son lourd chignon, ses lèvres s'étirèrent en un lent sourire plein de supériorité :

— Vous faites allusion à cette « rente usuraire » que Raoul a contractée, sans nul doute ? Mon petit, vous rêvez en songeant à une nouvelle échéance ! Les délais sont passés depuis quatre ans ! Maître Grelier a avancé semences, têtes de bétail, argent pendant dix années. Quand bien même seriez-vous la plus riche héritière de France, vous ne parviendriez pas à sauver le patrimoine !

Isabelle se dressa, les paumes en appui sur le plateau de la table, foudroyant la comtesse d'un regard furieux :

— Vous parlez à votre aise, madame ! On dirait, en vérité, que la misère, la gêne vous importent peu ! Mais, songez-y : votre destin est lié au nôtre ! Ai-je tort ? Car, où iriez-vous si nous étions obligés de quitter nos terres ? Chez les Guise ? Permettez-moi d'en douter : vous ne paraissez pas au mieux avec la duchesse douairière et sans doute est-ce pire avec Anna la veuve du duc François ?

Elle avait cru lui porter un coup fatal. Force lui fut de constater que sa belle-mère possédait des nerfs à toute épreuve !

— Cette chère Anna ? précisa-t-elle. Elle s'est bien vite remariée avec le beau Jacques de Savoie, duc de Nemours ? Et elle est plus que jamais amoureuse ! Quant à la vieille duchesse, le diable l'emporte bientôt ! Son règne s'achève ! Mais là où vous vous trompez lourdement, c'est quand vous estimez m'effrayer avec d'aussi puériles constatations... !

Un rire moqueur lui échappa.

— Ma parole... Vous avez un goût prononcé pour la tragédie ? Il est vrai qu'une de vos aïeules était italienne, à ce qu'il paraît ? J'ai toujours entendu dire que cette race était un peu extravagante ! Pour mon avenir, ne vous inquiétez point ! J'ai suffisamment d'écus de côté pour vivre cent ans en parcourant les capitales de l'Europe et en ne me privant d'aucune façon !

Isabelle en demeura figée, bouche bée. Elle s'était attendue, inconsciemment au pire depuis son arrivée. Mais l'attitude incompréhensible de la comtesse l'oppressait. Il fallait qu'elle sache à tout prix.

— Vous avez donc volé votre propre fils, madame, murmura-t-elle. N'éprouvez-vous aucun remords ?

Devant cette ingénuité, la comtesse éclata de rire :

— Le remords ? De quel remords pourrai-je souffrir alors même, que je tiens ma vengeance et que sous peu elle éclatera ? Vous n'avez aucun recours, ma chère, le destin en marche ne s'arrête pas et j'ai mis tous les atouts dans mon jeu ! Vous évoquiez maître Grelier, renchérit-elle... Puis-je vous mettre dans le secret ? Il ferait n'importe quoi pour moi-! Il est mon amant !

Isabelle se retint de lui sauter au visage. La première manche semblait sur le point d'être perdue, il fallait préparer le terrain de la revanche.

— Et... ne craignez-vous point que j'avertisse Raoul ? demanda-t-elle.

Anne-Louise haussa ses superbes épaules.

— Que voulez-vous que cela me fasse désormais ? jeta-t-elle négligemment.

— Mais... pourquoi, Madame ? Donnez-moi une bonne raison, une raison valable ? Vous ne paraissez même pas vous rendre compte du coup mortel que vous allez porter à votre fils ?

— Pourquoi ? me demandez-vous, siffla Anne-Louise. Parce que depuis vingt-huit ans j'ai dû subir l'ostracisme des Guise ! Une grande, une noble, une belle famille et dont vous n'avez pas fini d'entendre parler ! Vous me jugez, ma petite, mais songez, j'avais votre âge, quand je mis Raoul au monde et je n'ai pas su me défendre. J'ai cédé. J'étais trop heureuse alors de trouver un nom somme toute honorable, un époux complaisant, un père pour mon bâtard de prince ! Le comte Bernard de Villeron... Si vous l'aviez connu !

— Un conseil, murmura Anne-Louise déjà sur le seuil de la porte... Si j'étais à votre place, j'éviterais de remettre la robe que vous a si aimablement offerte Catherine. C'est un présent que Raoul avait cru bon de lui faire l'an passé, quand ils étaient sur le point de commettre la pire des bêtises.

CHAPITRE VIII

Soucieuse, Isabelle se rendit à la ferme des Michaud. L'ambiance familiale et chaleureuse qui régnait chez les Michaud procurait à Isabelle une sensation d'étonnante sécurité.

Dès son entrée, les larmes aux yeux, Isabelle se revit au bras de Raoul. Si peu de jours s'étaient écoulés et un siècle de misère et d'idées noires déjà l'éloignait de la jeune fille insouciante qui riait si volontiers tout en dansant avec le bon gros métayer !

Devant l'âtre, dame Michaud, l'aïeule et trois enfants triaient des baies noires pour les confitures. Le chef de famille tenait devant lui, grands ouverts, deux livres aux pages couvertes de chiffres.

Michaud leva la tête :

— Ah ! Madame la comtesse !

Jovial comme à l'accoutumée, il vint vers elle, désigna les livres de comptes :

— Je compulsais les fermages... Je sais lire et pas trop mal compter... C'est moi qui les tiens, parce que la comtesse Anne-Louise, j'avais bien peur qu'elle me vole !

Il rougissait, se sentant peut-être pris en faute. D'un geste, Isabelle le rassura.

— Il était nécessaire que vous le fassiez, Michaud ! Je venais justement vous parler du domaine... J'ai rendu visite à maître Grelier, ce matin. La situation n'est guère réjouissante ! Je vais tenter l'impossible, mais je ne suis pas rassurée...

Michaud gratifia Isabelle d'un regard affolé et contrit. Ses petits yeux noirs se plissèrent. Rouge soudain, emporté par une passion véhémente, il frappa la table de son poing fermé :

— La situation est dramatique !

Isabelle détourna subitement la tête pour cacher ses larmes :

— Oui, Michaud !

— Un pareil gredin, ce notaire ! gronda-t-il... Alors que depuis des années, il se débrouille pour nous voler. Et il vous prendra la terre !

Il ne décolérait pas et Isabelle éprouvait une certaine admiration à mesurer l'attachement de cet homme à cette terre. Ce n'était point pour lui qu'il rugissait contre Grelier, elle le sentait bien. Tremblante, elle se leva. L'aïeule, recroquevillée comme un vieux sarment, les enfants blonds comme les blés, et eux, au milieu, Raoul et elle, les enfants à venir, c'était un monde, au fond, qu'ils formaient tous ensemble et c'était ce monde-là que le fermier essayait de garder intact. Un lien indissoluble les unissait et, ce lien-là, venu du fond des âges, nul ne devait le rompre, surtout pas un Grelier !

— Non, dit Isabelle, ayez confiance, Michaud. Grelier ne règnera jamais en maître sur le Castel. Dussè-je en appeler au roi ! C'est à ce sujet d'ailleurs que je venais vous voir. Se pourrait-il que...

Ils s'immobilisèrent tous dans le même mouvement de stupeur. La porte volait avec fracas et dans l'embrasure se profilait la tignasse hirsute de Jeannot Michaud.

En apercevant Isabelle debout au côté de son père, le garçon fut ébahi.

— Vous étiez là, madame ? Je vous cherchais partout !

— Parle, Janot ! Que se passe-t-il ?

— Je ne sais pas, madame, balbutia-t-il. Un gars est tombé quasiment droit du ciel...

Il jeta un rapide coup d'œil effaré vers Isabelle qui le contemplait, muette, la lèvre tremblante, guettant la suite :

— Il vous appelle...

⁂

Après avoir fait transporter l'inconnu, inanimé, dans la cabane du vieil Auguste, Isabelle, dévorée d'anxiété, attendait qu'il revienne à lui.

— Il se réveille, madame... Il a bougé, chuchota Jeanine.

— Est-ce mon époux, le comte de Villeron qui vous envoie ? demanda Isabelle d'une voix prudente. Le garçon — il n'avait pas plus de dix-huit ans — tressaillit en jetant des regards inquiets.

— Non, madame la comtesse...

« Non ? » Quelqu'un d'autre que Raoul ? Qui ? Son parrain ? Il aurait remis son message à Barthélémy... Catherine de Médicis ? Evidemment non !

— Eh bien, parlez ! Je vous ai posé une question !

Il eut comme un sursaut, fourragea sous sa chemise, en extirpa un pli froissé.

Isabelle s'en empara sans un mot et tourna les talons.

Dans la cour, elle se heurta à Jeanine qui, affairée, ne l'avait pas vue venir. Les joues vermeilles, elle portait un plateau chargé de victuailles. Devant le visage d'Isabelle, elle se troubla :

— Il a peut-être faim ? bredouilla-t-elle, en se tortillant. Alors j'ai pensé qu'un peu de fromage et du vin...

Mais Isabelle ne se souciait déjà plus du messager. L'esprit ailleurs, elle poursuivit son chemin comme une somnambule.

Une fois dans sa chambre, la porte fermée à clé, elle s'assit sur son lit et, approchant une chandelle, décacheta le pli. Elle tremblait tellement qu'elle dut s'y reprendre à deux fois. Qui donc ? se répétait-elle fébrilement... Qui ?

L'écriture était hâchée, anguleuse. Il y avait des ratures et des espaces inhabituels entre les mots. Le cœur battant, elle lut :

Isabelle,

Je n'ai pas beaucoup de temps devant moi. Je sens la fièvre revenir, aussi vais-je essayer de m'expliquer en peu de mots. Je suis à l'Hôtel-Dieu d'Orléans, contraint. de me cacher. Je vous envoie mon valet et ami, Féliciano. J'espère qu'il pourra vous joindre. Je lui ai recommandé la plus grande prudence car je crains le pire. Mais, si vous avez un peu d'affection pour moi, venez, je vous en conjure, venez sans tarder, j'ai besoin de votre aide...

Anne de Chelles.

Anne ! Un tremblement convulsif secoua la jeune femme, ses bras retombèrent. Un long moment elle demeura sous le choc, prostrée, puis elle se leva en toute hâte. Dans la cuisine déserte, elle se munit d'un falot.

Comme elle atteignait la cabane, des rires lui parvinrent. Elle reconnut celui, aigu et sans manières, de Jeanine. Allons bon ! Elle s'était attardée !

Irritée, Isabelle poussa la porte. La chambrière était là, en effet, contemplant d'un air ébloui le garçon manger son pain et son fromage. Boucles aguicheuses, croupe frétillante, elle l'admirait littéralement ! Il faut dire que ce drôle était plus que charmant : un corps mince d'éphèbe, un visage banal peut-être, mais une virilité déjà bien affirmée qui ne laissait sans doute pas de glace les femmes ! Et sous le regard appréciateur qu'il attachait à sa gorge, Jeanine fondait...

— Il est tard, Jeanine, va donc te coucher !

Les deux complices sursautèrent. Jeanine, la première, ne demanda pas son reste. Elle ramassa le plateau vide avec précipitation et se faufila à l'extérieur comme si elle avait le diable à ses trousses !

Le garçon, assis au bord du grabat, se contenta de fixer Isabelle, la bouche ouverte.

— Expliquez-moi, dit-elle d'un ton péremptoire. Que signifie ce message ? Qu'est-il arrivé à monsieur de Chelles ?

Instantanément, il se rembrunit, il avait l'air d'un bélier rétif, prêt à la charge. Et Isabelle, confusément, sentit une résistance en lui.

— Quand nous sommes revenus de Constantinople, à la fin de l'été, commença-t-il d'une voix mal assurée, rien n'allait déjà plus. Monsieur de Grandchamps, l'Ambassadeur était révoqué, et Anne, je veux dire, mon maître, avait trempé dans des transactions commerciales assez louches. Je crois bien qu'il s'agissait de piraterie au détriment de Venise, mais je n'en suis pas certain. La Reine-Mère était furieuse ! Elle l'a sermonné, menacé, puis envoyé en guise de pénitence à Paris, auprès de l'ambassadeur d'Espagne, pour le surveiller.

Il baissa la tête.

— Seulement, madame la comtesse, à Paris nous n'y sommes pas restés autant qu'il aurait fallu. J'ignore pour quelle raison, mais nous sommes allés presque aussitôt nous cacher à Orléans...

« Se cacher ? » C'était donc ça ? Mais, Dieu du ciel ! Qu'est-ce qui pouvait bien le forcer à se terrer comme un lapin. Le fait de n'avoir pas rempli sa mission auprès de l'ambassadeur d'Espagne ?

Elle secoua vivement la tête, aux prises avec des pensées contradictoires.

— Puisqu'il est tombé malade tout de suite après, il aurait pu invoquer une subite faiblesse, inventer un prétexte. Pourquoi n'a-t-il pas cherché à justifier sa conduite ? Et pourquoi a-t-il quitté Paris ?

C'était une question directe qu'elle posait à Féliciano mais il détourna la tête. Elle vit passer un éclair dans ses yeux que, sur le moment, préoccupée, elle n'analysa pas.

— Mon maître est bien malade, soupira-t-il, peut-être même va-t-il mourir, madame la comtesse... C'est tout ce que je sais.

Etait-il sincère ? Isabelle, perplexe, le considéra en silence puis haussa les épaules : évidemment, que pouvait-il savoir d'autre ?

La main perdue dans ses cheveux, elle fit quelques pas. « Si Raoul était là ! Il saurait quoi faire ! Anne est son frère après tout ! » Découragée, elle fut tentée de courir avertir Anne-Louise. N'avait-elle personne à qui se confier ? Si, au moins sa belle-mère n'était pas froide et cupide, s'il était possible de parler avec elle ! Mais Anne recommandait la plus grande prudence et elle n'avait pas du tout confiance en cette femme ! Elle ignorait même quels sentiments elle nourrissait à l'égard de son fils cadet. Anne avait bien souligné à Blois que sa mère avait été admirable pour lui, mais comment se fier à elle ? C'était beaucoup trop risqué !

Isabelle se tourna vers Féliciano, désemparée :

— Avez-vous rencontré des difficultés en chemin ?

— Non, madame la comtesse...

Isabelle croisa ses doigts.

— Il faut que je réfléchisse. Restez dormir ici cette nuit et, demain matin, je vous ferai savoir la décision que j'ai prise.

Elle crut le voir pâlir.

— Madame la comtesse...

— Oui, que voulez-vous ?

Il amorça un pas dans sa direction. A nouveau, étonnée, indécise, elle lui voyait un regard qui ne lui plaisait guère. Hostilité, hargne, elle ne savait.

— Madame la comtesse, mon maître a adressé cette lettre à mademoiselle de Malguérande... Peut-être qu'à présent vous avez trop de soucis. Peut-être que vous aimeriez mieux rester chez vous ? Je ne peux pas vous obliger à...

— Ecoutez-moi bien, Féliciano !

Sur les lèvres d'Isabelle transparaissait un sourire :

— Vous êtes sans doute beaucoup plus qu'un valet pour mon beau-frère. Vous semblez l'aimer. Moi aussi, sachez-le, j'ai de l'affection, de l'amitié, de l'estime pour lui. Mais, accordez-moi une nuit de réflexion. Nous reparlerons de tout ceci demain, à tête reposée...

Elle fit volte face, lui souhaitant une bonne nuit.

Elle ne vit pas le geste furtif de Féliciano. Il tendait sa main gauche vers elle, l'index et l'auriculaire dressés, formant une paire de corne... La main de puissance des jeteurs de sorts...

— Maladetta, articula-t-il à mi-voix et il cracha par terre avec dégoût...

Isabelle referma la porte derrière elle avec un soupir. Quand elle repensait à l'épuisante charge qui l'attendait, elle ne se jugeait pas de taille. L'énergie lui manquait. Comment faire preuve d'une heureuse initiative ? Elle ne s'en sentait ni le droit ni la force. Elle demeurait abattue, déconcertée, sous le choc des révélations inattendues de l'étrange Féliciano.

Il faisait presque nuit dans sa chambre. Devant l'âtre où crépitait un bon feu de bois sec, Apollon dormait, le museau entre les pattes. A son approche, il se leva, s'étira, la suivant du regard tandis qu'elle s'emparait d'une chandelle. C'était, comme à chaque instant de la journée et de la nuit, un immense soulagement pour Isabelle de le voir là, près d'elle, veillant sur elle, lui, un simple chien, mais le compagnon que Raoul lui avait légué, le seul ami qui lui restât.

— Là, mon beau, oui, je t'aime... Tu es brave, tu le sais bien ! Des mots qu'elle répétait machinalement, pour dire quelque chose et se donner l'impression de parler à quelqu'un... Des mots aussi que le grand dogue avait l'air de comprendre et d'apprécier. Les gestes tendres, les douces paroles de cette femme aux longs cheveux le changeaient des bourrades que lui accordait habituellement son maître. Il soupira à fendre l'âme, reprit sa place favorite.

Isabelle fit chauffer une brique. Les draps ouverts disaient assez qu'ils venaient d'être bassinés par Jeanine mais elle avait du vague à l'âme et s'allonger toute seule dans ce trop vaste lit ne l'enchantait guère. Bien installée dans sa bergère, les pieds sur la brique chaude, elle se sentit un peu réconfortée, du moins assez calme pour méditer tranquillement sur les derniers événements de la journée.

Anne était malade et l'appelait. Jusque là, rien que de très normal. Bien sûr, elle éprouvait une peine infinie à le savoir seul, affaibli, abandonné de tous, fuyant un passé dont il avait décidé brusquement de faire table rase, mais de là à le plaindre sans restrictions ! Comme elle, il avait désobéi la Reine-Mère. Dans son cas, cela prenait de plus graves proportions, compte tenu de l'ancienneté de ses services. Et, si elle ignorait les détails de l'affaire, Féliciano ne lui avait pas caché que la situation était critique, à deux doigts du désastre ! Le fou !

Quand elle y repensait à tête reposée, elle ne pouvait s'empêcher de lui trouver des points communs avec Raoul. Les Villeron paraissaient taillés dans un bois dont on ne faisait plus les hommes ! Inconscients, impossibles, irascibles, mais aussi merveilleusement généreux, trop foncièrement crédules, facilement influençables, comme des enfants passionnés. Raoul l'avait prouvé en fonçant tête baissée dans la guerre personnelle qui l'opposait plus à un seul homme —, Coligny —, qu'à une politique ou une religion. Anne suivait les voies de son aîné en décrétant que servir Catherine de Médicis ne lui agréait plus, après avoir vécu des largesses de cette souveraine durant des années et lui avoir à elle, Isabelle, vanté chaudement les avantages de sa situation !

Qu'avait-il pu se passer en un mois pour qu'il changeât à ce point d'opinion ? Comme il paraissait heureux, fier, d'avoir été remarqué par Catherine de Médicis parmi tant de pages... Trop heureux de parcourir l'Europe, d'étudier les coutumes, d'apprendre les ressorts de la diplomatie, de vivre mieux en somme qu'il aurait pu le faire sans l'amitié et la confiance de la Reine ! Une telle folie, subite, ne s'expliquait pas. Isabelle du moins n'y parvenait pas.

Comme si elle avait eu besoin de ce surcroît d'inquiétude ! Qu'allait-elle faire à présent ? Sauver ce fou de la tempête qu'il avait déchaînée ? Le ramener dans le droit chemin, au bercail s'il le fallait, le cacher en attendant que se calme la colère de la Reine-Mère, apaiser la colère de Raoul qui, certainement, n'encenserait pas la conduite de son cadet ?

C'était bien joli tout ça, un plan fort logiquement établi, mais où trouverait-elle la possibilité de régler ce nouveau problème ? Oui, elle était brave, téméraire. Il fallait qu'elle le soit pour songer regagner une terre perdue depuis des décennies ! Mais plus rien ne la portait qu'une incommensurable mélancolie, un désarroi qui n'en finissait pas de grandir avec les secondes qui la rapprochaient du lendemain. Elle irait à Orléans, soit !

Le lendemain, elle dépêcherait Féliciano à Joinville. Elle lui expliquerait que c'était à ce prix qu'elle pourrait le suivre. Il comprendrait. S'il faisait la fine bouche et pour ne pas perdre de temps, elle prendrait Jeanine sous un bras et Apollon sous l'autre et le précéderait sur la route d'Orléans. Tant pis ! Elle mettrait Michaud au courant de ses transactions avec le notaire et il veillerait à conclure le marché à sa place. Et puis, il se pouvait que la duchesse Antoinette daigne lui prêter un de ses intendants, un homme de confiance qui prendrait l'affaire en main ? Un juriste, que Grelier, si retors soit-il, ne parviendrait pas à berner. C'était une fameuse idée ! Elle la mentionnerait dans sa lettre.

Une bûche en s'écroulant des chenêts dans un envol d'étincelles la fit sursauter. Elle avait dû s'endormir. Apollon grondait, les oreilles dressées, babines retroussées sur des crocs puissants. Il regardait du côté de la porte.

— Me permettez-vous ?

Sans tourner la tête, sans même bouger, Isabelle reconnut la voix à la fois admirablement mélodieuse et désagréablement métallique de sa belle-mère. Elle se raidit.

— Je vous en prie, madame, faites comme chez vous !

Au point où elles en étaient arrivées de cette guerre ouverte et sans merci, elle pouvait se permettre d'écouter sans frémir ce que cette vipère comptait lui jeter au visage ! Mais, entrevoyant Anne-Louise dans la lumière blafarde de la chandelle, elle regretta tout aussitôt son humeur coopérative. La comtesse semblait prête pour la bataille la plus chaude qui les ait jusqu'alors opposées. Elle faisait penser à une femme à qui l'on vient d'annoncer sans précautions la mort d'un être cher. Un instant, Isabelle se demanda si elle ne l'avait pas suivie jusqu'à la cabane du vieux jardinier ? Avait-elle appris les difficultés dans lesquelles se débattait Anne, un fils qui, après tout, devait lui être plus cher que l'aîné ?

Quand elle ouvrit la bouche, ce ne fut cependant que sa haine coutumière qui se déversa en un torrent fielleux :

— Cette visite que vous avez cru nécessaire de rendre à maître Grelier, jeta-t-elle du bout des lèvres, que vous a-t-elle rapporté ?

Isabelle braqua sur sa belle-mère un long regard incisif. Ainsi, les deux complices se faisaient des cachotteries ? Voyez-vous ça ! Grelier était deux fois plus matois qu'elle ne le pensait !

Le plus impassiblement du monde, pesant bien ses mots, elle répliqua :

— Ce que j'ai obtenu sans trop de difficultés, madame, ne vous en déplaise : un délai, en l'occurrence, au bout duquel je serai en mesure de régler nos dettes ! Comme vous le constatez, votre ami est très obligeant ! Sans doute est-il deux fois plus perspicace que cupide et a-t-il compris où désormais était son intérêt ?

— Vous mentez !

Chez Anne-Louise, ce n'avait été qu'un long cri rauque jailli de sa gorge contractée. Son visage se convulsa sous un accès de rage folle. Verdâtre, elle marcha sur Isabelle qui, malgré toute sa hardiesse, serra un peu plus fort les bras de son fauteuil.

— Vous mentez ! martela-t-elle pour la seconde fois, petite perfide !

Sa poitrine se soulevait avec précipitation. Dans sa robe de soie grise, ses beaux cheveux blonds dépassant à peine d'une coiffe sévère, elle ressemblait à s'y méprendre à Mme d'Alluye. Isabelle ne l'en détesta que davantage !

Anne-Louise se penchait sur elle, à la frôler, et ses bras comme des griffes courbes se refermaient sur le corps d'Isabelle.

— Jamais Robert n'oserait ! cracha-t-elle... Vous ne savez pas ! Après tout ce que j'ai fait pour lui ! Quand François vivait encore, il lui arrivait d'être très généreux. Les bijoux qu'il m'offrait, je les ai tous monnayés afin que Robert puisse devenir ce qu'il est aujourd'hui. Son hôtel du Châtel, son opulence, c'est à moi qu'il les doit... Il n'avait pas un sol et ne serait jamais resté qu'un pauvre clerc parmi tant d'autres !

Posément, Isabelle écarta les mains brûlantes de sa belle-mère, puis sourit. Elle commençait à entrevoir une nouvelle facette de l'histoire et cet aspect-là ne lui déplaisait pas ! A tout prendre, les rancœurs que la comtesse pourrait accumuler contre le notaire lui serviraient à elle ! Comme elle devait trembler à son tour ! Ce n'était que justice !

Isabelle accentua son sourire suave, le pimenta d'une once de mépris :

— Eh bien ! vous vous êtes illusionnée, tout simplement ! Votre cher Robert a osé ! Quand j'ai mis en avant la puissance des Guise, il n'a plus hésité !

Un bref ricanement lui répondit. Anne-Louise relevait le menton : il semblait que, chaque fois que le nom fatidique des Guise était prononcé devant elle, sa haine décuplait.

— Vous pensez ! hurla-t-elle. Les Guise ! Cette dynastie de gerfauts a bien d'autres chats à fouetter !

Henri se sert de cet imbécile de Raoul, tout entier à sa dévotion et c'est tout ! Quant à vous aider, laissez-moi rire ! Tenez, la vieille bique par exemple. Elle vous promettra le monde, mais vous n'en recevrez même pas des miettes en contre-partie !

Isabelle se mordit la langue... Imbécile, vieille bique ! ces deux qualificatifs odieux entraient en elle comme deux lames vives. Cette fieffée punaise allait regretter sa bassesse ! Elle ne l'épargnerait pas ! Au moins, connaîtrait-elle l'exaltante satisfaction d'avoir brouillé les cartes entre Grelier et elle !

D'une démarche olympienne, elle se dirigea vers sa table de toilette, y glana, au fond d'un coffret la prorogation dûment contresignée par Grelier et vint la planter sous le nez de sa belle-mère, l'agitant comme un drapeau pris à l'ennemi.

La pâleur qui s'étendit sur le visage déjà terreux de la comtesse lui fit l'effet d'un révulsif. Elle ajouta, implacable :

— A mon humble avis, maître Grelier s'est bel et bien moqué de vous ! Il a adroitement profité de votre collaboration et n'attend que l'instant favorable pour vous signifier votre congé !

Le coup parut porter. Anne-Louise ne disait rien, désorientée. Isabelle sentit qu'elle avait dû réveiller d'anciennes craintes chez cette femme vénale pour qui la terre et l'argent comptaient plus que n'importe quoi. Mais, brusquement, à l'instant où elle l'imaginait définitivement matée, l'autre se redressa, le visage de pierre.

— Que lui avez-vous promis ? cingla-t-elle froidement. Votre jeunesse en échange du Castel ?

Isabelle arrondit ses prunelles. Même pour cent mille livres, jamais elle n'aurait entamé ce morceau de bravoure avec le notaire !

— Vous divaguez ! Je ne m'abaisse point à ce genre de compromis répugnant ! Libre à vous d'y consentir !

Verte de rage, Anne-Louise ne voulut pas désarmer :

— Et cette prorogation, comment appelez-vous ça ? Un cadeau ? Comme si j'allais avaler une telle couleuvre ! Robert n'est certes pas homme à se laisser impressionner par les menaces d'une mijaurée !

Sa voix s'enflait. Isabelle haussa les épaules. A quoi bon renchérir ! Un certain écœurement la gagnait. Aussi bien, cette femme était la mère de Raoul, la mère d'Anne et Anne se mourait à l'Hôtel-Dieu d'Orléans. L'égoïsme révoltant de la comtesse ne porta pas ses fruits. Isabelle fut sur le point de faillir à la promesse de silence faite à Féliciano et pour clouer le bec à cette chipie, de tout lui divulguer.

Elle laissa Anne-Louise se diriger vers la route dans un froissement de soies indignées.

— Ne chantez pas trop victoire ! rugit la comtesse une fois sur le seuil. Cette terre m'appartient ! Elle me revient de droit ! Je n'aurai pas supporté ce balourd de Bernard pendant près de vingt ans en vain !

Et Anne ? A cet instant, Isabelle se dit que, luttant pour sauvegarder l'héritage de son cadet, Anne-Louise aurait eu un rôle sublime et qu'il ne lui aurait pas coûté d'être son amie.

Elle regarda se refermer le lourd vantail. L'habitude s'installait et elle était si lasse... si seule !

Titubante, elle se traîna jusqu'à son lit et s'y effondra en larmes...

CHAPITRE IX

Pour la troisième fois, Isabelle trempa sa plume dans l'encrier placé devant elle.

Elle s'était octroyé, le matin, quelques minutes de réflexion devant les ruines du prieuré, ravagé il y avait de cela quatre ans par les troupes protestantes. Elle avait formulé une rapide prière en faveur de la continuité de la paix, sans trop y croire. Elle se demanda ce qui pouvait bien se dire à la Cour. Où en étaient les accordailles du Roi et de l'Amiral de Coligny ?

Qu'il était difficile de quémander ! Elle n'aurait jamais imaginé que ce fût si humiliant ! Un aboiement résonna dans le silence. En se penchant un peu, elle vit passer une trombe vivante : Apollon. Il bondissait au-devant d'un homme qui, monté sur une mule, traversait la cour en direction de la maison. Tout aussitôt retentit la voix de Jeanine.

Le visiteur mit pied à terre. Apollon grondait, retenu au collier par Jeanine. Isabelle étouffa une exclamation : Bonneval ! Adrian Bonneval ! C'était le clerc de Grelier, il n'y avait pas de doute. Dans son effarement, Isabelle renversa la moitié de son encrier, froissa son papier, essuya ses doigts à sa robe. Elle vécut une minute d'indécision, ne sachant plus si elle devait descendre et recevoir elle-même le clerc ou attendre sagement que Jeanine lui fasse signe ? Que venait-il faire au Castel ? Demander de l'argent pour son maître ?

La comtesse s'étant absentée pour la journée, ce ne pouvait être d'elle qu'il venait s'enquérir.

On frappa à la porte.

— Entre !

Hilare, Jeanine se propulsa à l'intérieur de la chambre.

— Le clerc ! souffla-t-elle dans un sourire fendu jusqu'aux oreilles... Il veut vous parler !

Vivement, Isabelle croisa les doigts comme elle avait souvent vu Thomassine, sa nourrice, le faire, pour conjurer le mauvais sort.

— Prépare-nous deux coupes de poiré, jeta-t-elle à Jeanine.

A son entrée, Adrian Bonneval se cassa en deux, presque trop déférent, et Isabelle éprouva aussitôt une espèce d'appréhension.

— Madame... Pardonnez ma hardiesse, mais il fallait que je vous parle sans témoin...

Pour une entrée en matière, c'en était une singulière ! Isabelle qui, d'un geste de la main lui indiquait un siège et prenait place devant la cheminée, haussa les sourcils.

— Vous avez mal choisi votre heure et votre endroit. La comtesse, ma belle-mère, risque de rentrer de promenade d'un moment à l'autre.

Bonneval hocha la tête avec vivacité.

— Assurément non ! J'ai pris mes précautions. Madame de Villeron est actuellement chez une vieille guérisseuse qui officie près de Paroy et dont les onguents ont, paraît-il, des vertus miraculeuses. Comme chaque semaine, madame de Villeron passera sa journée à macérer dans un bain de plantes. Elle ne regagnera le Castel qu'à la nuit tombée.

Isabelle esquissa un mince sourire.

— Vous êtes admirablement renseigné, semble-t-il, ironisa-t-elle.

Bonneval prit un air gêné.

— Il m'arrive de laisser traîner une oreille, concéda-t-il, les yeux baissés, et d'en tirer d'évidentes conclusions.

Jeanine entrait, portant les coupes et le cruchon de poiré. Isabelle se leva, fit le service, maîtrisant le tremblement de ses mains. Elle sentait venir quelque chose, elle ignorait quoi au juste, mais pour rien au monde elle n'aurait voulu que Bonneval s'en retourne à Provins sans lui avoir dévoilé ce qu'il avait derrière la tête. Il transpirait à grosses gouttes malgré la fraîcheur qui régnait dans la grande salle. Sans aucun doute, n'était-il point aussi indélicat qu'il espérait le lui faire croire. Quelque événement d'importance aurait dû le forcer à dépasser ses limites, mais, une seule fausse note de la part d'Isabelle, et il risquait fort de repartir comme il était venu !

Il but une première fois, saisissant sa coupe à pleines mains. Elle le gratifia d'une seconde et copieuse rasade, l'épiant du coin de l'œil. Il s'agitait sur son escabelle, croisant et décroisant ses jambes. A la fin, il reposa sa coupe sur la table, se racla la gorge.

— Ce poiré est vraiment délicieux, souffla-t-il, rompant le silence.

Isabelle l'approuva du menton, souriante :

— Vous passiez par là ? demanda-t-elle...

— Euh... oui ! Il m'arrive de flâner dans la campagne quand mon travail ne me retient pas à l'étude...

— Et vous en avez profité pour venir me présenter vos civilités ? C'est très aimable à vous, poursuivit Isabelle d'un ton mondain.

Bonneval s'épongea le front, enleva puis rechaussa ses lunettes. Ses mains devaient être moites. Il les essuya à ses manches, tendit le cou à la manière des dindons.

— Maître Grelier a falsifié le texte de la rente constituée, articula-t-il d'une voix hachée.

Un instant, Isabelle se demanda si elle n'était pas victime de son imagination. Avait-elle bien entendu ? Elle riva sur Bonneval un regard incrédule. Il ne cilla pas. Maintenant qu'il avait parlé, il paraissait rasséréné, plus sûr de lui :

— Cela est difficile à concevoir, renchérit-il, mais c'est la vérité ! Maître Grelier est un homme habile ! Et, avec l'inspiration de madame de Villeron, cela lui fut un jeu d'enfant que de trafiquer les chiffres !

— Attendez ! Vous avez bien dit... trafiquer ?

Isabelle s'était levée. Ses cheveux qu'elle portait sur les épaules, virevoltèrent. Ses joues s'empourpraient. Elle arpenta un instant le carreau de la cheminée, puis se campa devant Bonneval.

— Trafiquer ! martela-t-elle, écarlate... C'est un comble ! Quand je pense...

Elle s'interrompit, emportée par un brusque accès de fou rire. Bonneval la contemplait, bouche ouverte.

— Vous comprenez, dit Isabelle, les larmes aux yeux, c'est si soudain... tellement inattendu, inespéré !

Elle était comme assommée tout à coup par une vague de joie délirante. Elle tremblait de tous ses membres :

— Expliquez-moi, lança-t-elle à bout de souffle.

Bonneval se haussa un peu.

— C'est tout simple, commença-t-il d'un ton doctoral. Votre époux, le comte de Villeron a emprunté une somme assez rondelette à maître Grelier, il y a de cela onze ans. Il fut alors établi ce que l'on appelle une « rente constituée », en fait, c'est une vente maquillée en prêt. Une hypothèque est retenue sur les terres ainsi « vendues », jusqu'à concurrence du remboursement de la somme, majorée des intérêts. Seulement, votre époux ne se préoccupant guère de tenir des comptes au jour le jour et en laissant le soin à sa mère, il fut aisé aux deux complices de doubler le montant de cette somme de même que celui des intérêts annuels. Les quatre mille livres originelles devinrent rapidement huit mille livres.

A ces mots, le cœur d'Isabelle bondit dans sa poitrine. Elle manqua s'étouffer.

— C'est à proprement parler insensé ! s'insurgea-t-elle. Mon époux aurait pu demander à revoir le texte, ainsi que je l'ai fait. Il aurait pu se rendre compte de...

— Daignez me pardonner, madame, mais il est nécessaire que je précise un point : les circonstances alors étaient telles qu'au jour de la signature, le comte, âgé de seize ans et fort mal conseillé par sa mère, usufruitière du domaine, ne se posa pas de questions et signa pour ainsi dire les yeux fermés. Par la suite, les troubles le retenant loin de la Brie, il demeura de longues années sans réintégrer le Castel. A ce jour, il s'évertue à régler le montant des intérêts sans chercher à comprendre ! Il faut ajouter que le comte de Villeron n'est pas le seul dans son cas. Bon nombre de grandes familles connaissent des difficultés semblables. La cause principale en est, peut-être, un défaut de passion pour la terre, ou tout simplement l'impossibilité de diriger soi-même ses domaines.

— C'est insensé !

Isabelle ne trouvait plus que ce mot. Raoul ! Cela lui ressemblait assez ! Elle en venait à se demander ce qu'il avait en tête. Se préoccupait-il de savoir de quoi serait fait le lendemain ? Certes non ! Il vivait en marge de la réalité. Il se battait, mais ce n'étaient que luttes stériles et la terre lui échappait des mains comme une poignée de sable sans qu'il s'en rende compte. Un soldat ! Un homme de guerre, il n'était que cela, pas même le gentilhomme campagnard qu'avait été son père à elle.

Il avait laissé les rênes à sa mère parce que cette solution l'arrangeait, parce que cela lui permettait de vivre la moitié du temps sans soucis et de tirer l'épée sans arrière-pensées.

Elle se mordit les lèvres.

— Pourquoi venez-vous me raconter tout cela ? jeta-t-elle à l'adresse de Bonneval qui attendait sa réaction depuis cinq bonnes minutes. Un sursaut d'honnêteté, après dix ans ?

Le clerc ne se troubla pas le moins du monde. Il sourit même.

— Vous voudriez peut-être que je fasse mon « mea-culpa », murmura-t-il. Ce n'est guère dans ma nature. Je suis scrupuleux, certes, mais je n'ai pas pour habitude de me mêler des affaires d'autrui. Je vais être franc avec vous, madame : dans cette démarche que d'aucuns pourraient qualifier de charitable, un intérêt me pousse et c'est du mien qu'il s'agit ! Je ne suis qu'un pauvre clerc sans appui ni argent. Je ne pourrai jamais devenir autre chose que le factotum d'un maître Grelier. Par contre, nanti de la recommandation d'une personne de votre qualité, une grande famille, celle des Guise par exemple, m'accueillerait facilement au sein de son personnel. Avec un peu de volonté et beaucoup de chance, je deviendrais intendant ou surintendant, pourquoi pas ?

Il s'était levé :

— Et, de vous à moi, madame, servir les Guise, n'est-ce point servir la religion ? Une bien noble tâche !

Isabelle se leva à son tour, le toisa.

— Et vous avez songé que nous pourrions nous être d'un mutuel secours ? trancha-t-elle d'une voix acerbe... Comme c'est astucieux de votre part !

C'était plus fort qu'elle. Elle ne pouvait se montrer difficile quant aux moyens, une perche inespérée lui était tendue, mais ce Bonneval, qui énonçait trop clairement ses desseins, la dégoûtait profondément ! Au fond, il valait les deux autres ! Le monde n'était-il donc peuplé que d'êtres vils et calculateurs ? Voler un voleur, c'était pécher à demi, mais se faire la complice d'un opportuniste de cet acabit ! Elle lui faisait confiance ! Avec la jolie mentalité qu'il possédait, il gagnerait bien vite ses galons ! Faisant contre mauvaise fortune bon cœur, parce qu'elle avait besoin de lui, elle lui sourit.

— J'écrirai au duc de Guise à votre sujet... Quant au reste, que comptez-vous entreprendre ?

Bonneval dodelina de la tête d'un air avantageux.

— J'ai mon plan. Si vous l'agréez, il pourrait être mis en pratique la semaine prochaine. A cette date, maître Grelier doit se rendre à Paris pour deux jours. Il me sera donc aisé de subtiliser lesdits papiers en simulant un vol. Bien entendu, pour détourner les soupçons, j'emprunterai également quelque argent et des objets précieux.

Isabelle n'hésita que pour la forme.

— Votre plan me semble réalisable... Et pour la suite ?

Bonneval se frotta les mains.

— Mes parents habitent Auxerre. Je comptais me rendre chez eux pour la Saint-Crépin. Sous un prétexte quelconque, j'avancerai mon voyage. J'attendrai le retour de maître Grelier afin qu'il ne me suspecte pas. Si cette proposition vous paraît acceptable, vous pourriez me précéder à Auxerre et m'y attendre ? La présence de mes parents représente-t-elle pour vous une garantie suffisante ?

De toute façon, lui laissait-on le choix ? Et, plus tôt cette désagréable besogne serait accomplie, plus tôt elle serait libre de rejoindre Orléans et Anne.

Elle tendit sa main et Bonneval, confus, s'inclina sur son poignet.

— Je me mettrai en route dès demain, dit-elle. J'espère que ma belle-mère ajoutera foi à la subite maladie de ma cousine que j'invoquerai !

Bonneval se redressant, sourit avec désinvolture.

— Madame de Villeron sera bien trop heureuse de vous voir quitter le Castel !

C'était vraiment un étrange personnage que cet Adrian Bonneval à la fois humble et suffisant !

Elle l'accompagna jusqu'à la porte, le regarda s'éloigner, singulièrement oppressée. Décidément, il ne lui inspirait pas confiance...

***

Au matin du 6 octobre ils partirent à trois, c'est-à-dire Isabelle, Jeanine et Féliciano, sans compter

Apollon. Deux jours plus tard, ils arrivaient à Auxerre, après un voyage sans complications.

Isabelle avait quitté le Castel dans le trouble le plus complet. Pour elle, cette vieille bâtisse gardait l'empreinte d'un bonheur tout neuf qu'avaient obscurci les plus terribles épreuves. Elle ne la quittait pas sans un serrement de cœur, une espèce d'angoisse, car elle la laissait au néant, à quelque incertain miracle qui n'aurait peut-être jamais lieu et elle avait peur. Tout s'était passé si vite !

Elle n'emportait quasiment rien d'autre que cette incertitude, les vêtements qu'elle portait, un peu de linge et la robe à laquelle Jeanine s'était empressée de mettre la dernière main. D'Anne-Louise, pas de nouvelles depuis leur dernière altercation. Isabelle n'était pas mécontente de cette absence prolongée ! Elle réservait les solutions extrêmes pour son retour qu'elle imaginait triomphant. Tout serait définitivement résolu.

Sur le sort momentané du Castel, Michaud l'avait amplement rassurée : il veillerait à la bonne marche de la terre. L'hiver, d'ailleurs viendrait vite et avec lui le repos mérité pour tout le monde. Les gros travaux de l'automne terminés, on pouvait prétendre à la vie au ralenti.

De ce départ précipité, si Jeanine avait été la plus heureuse, le plus difficile à convaincre avait été Féliciano. Toute perte de temps, tout nouveau détour lui devenaient pénibles, pour ne pas dire odieux. Mais s'il avait rechigné pour la forme, il paraissait soulagé de la rapide décision d'Isabelle. La jeune femme, de son côté n'était pas fâchée de pouvoir compter sur une présence masculine. Elle préméditait de bâcler ce voyage et le suivant. Quatre semaines, au plus, et elle réintégrerait « ses » terres. Il serait temps alors de régler le problème Anne-Louise. En ce qui concernait le notaire, elle se faisait fort, papiers en main, de lui clouer le bec à tout jamais. Rirait bien qui rirait le dernier !

Tout reposait sur les frêles épaules d'Adrian Bonneval. La dernière touche de son plan avait rapidement été mise au point. Ses parents étaient des gens simples et peu curieux. Pour ne pas les effaroucher, Isabelle passerait à leurs yeux pour une jeune bourgeoise à la recherche de cousins éloignés, drapiers à Reims. La brièveté de son séjour à Auxerre, ses relations avec Adrian s'expliquaient ainsi d'elles-mêmes. Jeanine devenait par la même occasion la servante d'une petite bourgeoise, Féliciano en étant le valet. Dans l'ensemble tout allait bien. Et puis, que la campagne bourguignonne était belle en cette arrière-saison ! Les vendanges à peine finies, le pays tout entier sentait le vin frais, bouillonnant dans les cuves et dans l'air encore voletaient des refrains à boire. On croisait quelquefois, s'en retournant chez eux, des groupes de morvandiaux et de morvandelles, grands et petits qui pendant les dix ou douze jours qu'avaient duré les vendanges étaient venus, par bandes, par villages entiers, proposer leurs services aux vignerons.

Cordonnier de son état, maître Julien Bonneval possédait un ouvroir, au rez-de-chaussée d'une maison à pignon lui appartenant, sans dépendances et toute en bois, où il vivait avec sa femme, dame Georgine, deux apprentis et une servante un peu bécasse nommée Pierrette.

Parmi les tranchets, les marteaux à tête de champignon, les râpes et les broches, Jeanine s'était vite sentie très à son aise. Il faut ajouter que maître Julien, outre ses deux jeunes apprentis, employait deux compagnons, dont un charmant garçon aux yeux noisette pétillants de malice, dont la conversation ne déplaisait point, apparemment, à la chambrière !

Isabelle, après les présentations, rassurée sur la mentalité des Bonneval, couple sympathique et généreux, prit donc ses quartiers dans Auxerre. Tous les matins, en compagnie de Jeanine et Féliciano, suivie par Apollon qui les attendait sur le parvis, elle se rendit à Saint-Regnolet pour entendre la messe. Le premier jour, une méchante bataille rangée eut lieu entre

Apollon et un apprenti boulanger qui ne semblait guère priser les chiens de la taille du dogue, puis les choses étaient rentrées dans l'ordre. Après deux jours, Apollon commença à devenir une silhouette familière aux voisins des Bonneval et il déambula de long en large de la ruelle marchande sans plus occasionner d'incidents !

L'entente entre Isabelle et Féliciano fut tout autre ! Le garçon ne décoléra plus, montrant bien qu'il n'avait accepté d'accompagner la jeune femme que contraint et forcé par les événements. Isabelle ne pouvait s'empêcher de lui trouver mille excuses. Elle se sentait fautive, supportant son attitude franchement hostile avec résignation ; elle s'évertuait à réchauffer une atmosphère qu'il mettait un point d'honneur à geler ! Mais s'il ne desserrait pour ainsi dire jamais les lèvres, pour rien au monde Féliciano n'aurait failli à son devoir qui consistait selon lui à suivre Isabelle comme son ombre, quitte à en devenir encombrant ! Elle arrivait à se demander s'il ne la croyait pas capable de se volatiliser dans l'air et de lui fausser compagnie ?

Au matin du 12 octobre, Jeanine, souffrante, était restée à la maison. Comme ils dépassaient l'angle de la place des Fontaines, Féliciano, sans ouvrir la bouche saisit Isabelle par un bras et l'entraînant au pas de charge, lui fit avaler en un tourbillon l'infime distance qui les séparait de l'atelier de Julien Bonneval. En entrant dans l'échoppe, l'odeur forte et maintenant caractéristique pour elle, du cuir agressa les narines d'Isabelle et, avant même de se révolter contre la conduite inqualifiable de Féliciano, elle éternua trois fois. La tête lui tournait. Elle virevolta sur elle-même, réprima mal une exclamation : Féliciano avait profité de ce court répit pour s'éclipser !

« Le Diable emporte ce maudit valet ! »

Elle crut durant un court instant ne pas pouvoir résister à l'envie qui la tordait d'éclater en imprécations, mais le sourire bienveillant de maître Julien mit instantanément un terme à cette brusque bouffée de colère. Mettant sur le compte de l'impossible caractère de Féliciano cette nouvelle extravagance, elle répondit au sourire du cordonnier.

— Déjà de retour ? se permit-il avec une inclinaison de tête étonnée.

— Je suis un peu fatiguée, répliqua-t-elle, tout en prenant place sur un tabouret, près de l'artisan. Si cela ne vous dérange pas, j'aimerais rester un moment à vous regarder travailler ?

Maître Julien approuva d'un clin d'œil bonhomme.

C'était étrange et inexplicable. Elle ne le connaissait pas, ce brave cordonnier auxerrois, et lui-même était loin de deviner qui se cachait derrière l'apparence sagement bourgeoise de cette jeune femme aux yeux tendres, mais, sans même le secours des mots, une entente s'était créée entre eux et ils se comprenaient. Isabelle aimait à rôder des heures dans l'atmosphère calfeutrée du petit atelier toujours plus ou moins plongé dans la pénombre. Le plaisir de suivre les doigts habiles de l'ouvrier assemblant amoureusement des peaux pour en créer des souliers d'une extrême finesse. C'était devenu une véritable joie pour elle de pouvoir assister au trempage et au façonnage des cuirs « gros et menus »... Et c'était tout au long de la journée des visages qui se penchaient à l'intérieur par l'ouverture pratiquée sur la ruelle, entre les bottes et les chaussures pendues à la vue de la clientèle.

Avec un soupir Isabelle se leva :

— Je vais tenir compagnie à dame Georgine, claironna-t-elle au cordonnier...

Derrière la porte de l'atelier venait la salle commune, encombrée de sièges disparates, de coffres, d'un buffet et d'une longue table. A gauche, la cuisine, enfumée à cette heure par les exhalaisons des marmites devant lesquelles Pierrette, la servante, s'activait.

La voix criarde de Jeanine vint heurter désagréablement les oreilles d'Isabelle. Elle la vit apparaître, rouge comme un coq de combat, mèches en bataille, la larme à l'œil. Elle atterrit devant Isabelle, freina des quatre fers et jeta d'une voix geignarde :

— Madame, vous voilà bien ! Il est en train de faire nos bagages ! Il m'a fichu à la porte de notre chambre. C'est vrai qu'on s'en va tout de suite ?

— Qui t'a dit cette sottise ? Nous ne partons pas du tout ! Pas avant l'arrivée d'Adrian Bonneval ! Quelle est encore cette invention ?

Isabelle bouillait littéralement. Brusquement, elle voyait jour dans les intentions de Féliciano. Ainsi, il avait décidé d'agir en maître absolu, de prendre les décisions que lui dictait son humeur du moment sans l'en avertir ? Eh bien ! il allait voir de quel bois elle se chauffait !

Ramassant ses jupes, bousculant Jeanine qui n'y comprenait plus rien, Isabelle bondit vers l'étage et la petite chambre qu'elle partageait avec sa chambrière. En arrivant devant la porte basse qui s'ouvrait directement sur la vis, Isabelle s'y accouda un moment pour souffler et ramener de l'ordre dans son esprit, puis, elle poussa la porte sans hésitation.

La pièce était exiguë, à peine meublée d'un grand lit à piliers tournés, d'un bahut de cuir bouilli et d'un tabouret. Féliciano, planté au beau milieu de la chambre entassait les effets d'Isabelle pêle-mêle et sans discernement au fond de son panier d'osier !

— Que faites-vous ? Qui vous a permis, faquin !

Les mains en avant, elle se rua sur lui, avec une vigueur qui l'étonna elle-même.

— Arrêtez ! Nous devons partir et nous partirons que cela vous satisfasse ou non !

Féliciano revenait à la charge, d'un geste brutal lui saisissait les poignets, la forçant à lui faire face.

— Lâchez-moi ! Vous êtes complètement fou !

Elle écumait. Leurs regards se croisèrent, vibrants comme deux lames qui s'aiguisent l'une contre l'autre, engageant le combat. Les pupilles de Féliciano n'étaient plus qu'une fente lumineuse d'un vert insoutenable. Il ne paraissait pas dans son état normal et elle craignit de ne pas pouvoir le ramener à la raison si elle ne cédait pas.

— Lâchez-moi ! répéta-t-elle d'une voix moins âpre, et parlons calmement.

Il laissa retomber ses bras avec une lenteur calculée :

— Je ne demande pas mieux, madame !

Elle feignit l'indifférence, se frottant les poignets, mal à l'aise, esquissa quelques pas sous l'œil venimeux du garçon. « Surtout ne pas se laisser envahir par la colère. Elle avait mieux à faire. Il fallait qu'elle tienne le coup jusqu'à Orléans... »

— Enfin, allez-vous consentir à m'expliquer, Féliciano ? Vous n'ignorez pas que j'attends une visite importante ? Adrian Bonneval est notre dernière chance ! L'avenir d'Anne est également en jeu. Bien que cadet, il demeure tributaire de la fortune des Villeron et, nantis d'un solide pécule, il nous sera plus facile de le tirer d'embarras ? Comprenez-le au lieu de suivre votre propre chemin ! Les complicités s'achètent !

Malgré tout son bon vouloir, Isabelle sentait son ton monter. Féliciano leva les yeux au ciel :

— J'entends ! Et je suis de tout cœur avec vous, mais, il n'en demeure pas moins qu'il nous faut quitter cette ville le plus tôt possible !

Elle tapa du pied.

— Vous m'obéirez ! Nous allons attendre Bonneval... ensemble ! La situation est beaucoup trop grave... Je ne peux me plier à tous vos caprices et je vous prie de ne plus insister !

Une moue mauvaise déforma le dessin presque féminin de la bouche de Féliciano.

— J'ai mes raisons, appuya-t-il, de puissantes raisons !

— Et je conserve les miennes ! Donc, vous m'obéirez ! Rangez ces vêtements et ne parlons plus de ce départ, voulez-vous ?

Un instant, elle crut qu'il allait lui bondir à la gorge. Il demeura un long moment à ronger son frein, les mâchoires serrées, blanc à force de colère, puis, elle vit ses muscles faciaux se détendre. Il lui tourna le dos.

Isabelle referma la porte derrière elle. Elle n'avait qu'une hâte : que Bonneval arrive, qu'ils prennent la route et qu'enfin, une fois en présence d'Anne, elle puisse se débarrasser de ce gêneur ! Franchement, ne pouvait-il prendre sur lui et patienter encore vingt-quatre heures sans lui créer toutes sortes d'ennuis ?

Elle poussa un profond soupir et entra dans la cuisine.

CHAPITRE X

De bon matin, Isabelle fut réveillée par une effervescence inhabituelle. Elle se tourna vers Jeanine qui dormait à l'autre extrêmité du grand lit...

Bien qu'elles partagent de bon gré le même lit et qu'il fût assez large pour quatre, la chambrière par délicatesse, s'obstinait depuis la première nuit à se recroqueviller sur l'un des bords, au risque de se rompre le cou en tombant dans son sommeil !

L'œil encore vague, pleine des brumes d'un sommeil agité et fiévreux, Isabelle se redressa péniblement sur un coude et contempla l'image même d'un chagrin infini. Elle s'épouvanta :

— Jeanine, voyons. As-tu mal quelque part ?

La jeune fille leva ses yeux gonflés vers Isabelle et à sa vue ses sanglots redoublèrent. Avec des cris déchirants, elle retomba sur le traversin le serrant à pleines mains.

— Jeanine. Que se passe-t-il ? Parle, voyons ! Tu m'inquiètes !

Au bout de quelques instants, la servante réussit à articuler :

— Il est parti ! Il est en danger. Oh ! Madame ! Que je suis malheureuse !

— Qui est parti et qui est en danger ? Jeanine, cesse, veux-tu ?

Les pleurs reprenaient de plus belle. Isabelle avait

passé une nuit affreuse et elle était d'assez méchante humeur. Les trémolos et le charabia de sa servante achevèrent de l'agacer. D'un bond, elle quitta le lit, enfila ses mules :

— Calme-toi et descends chercher de l'eau.

Avec la triste allure d'un chat mouillé, Jeanine s'exécuta. Vêtue en un tournemain, le visage à peine débarbouillé, elle traîna ses pieds jusqu'au seuil et arrivée là, s'immobilisa, les épaules agitées de soubresauts. Ce fut plus qu'Isabelle, qui commençait à peine à prendre conscience de la bizarrerie de son attitude, ne put en supporter :

— A présent tu vas t'expliquer ! Pourquoi pleures-tu comme une fontaine ?

A cette question, Jeanine recula d'un pas, se laissa choir comme un chiffon sur l'unique tabouret de la chambre, et hoqueta :

— Féliciano ! Il y a... des hommes qui lui veulent du mal ! Ils vont le tuer ! Il va... essayer de brouiller les pistes m'a-t-il dit. Il m'a demandé de vous prévenir. S'il peut, il nous rejoindra à Orléans...

« Féliciano ! Des hommes ? En danger ? »

A son tour, Isabelle s'assit au bord du lit, la tête dans les mains. Bon nombre de mystères s'éclairaient et notamment les lubies du garçon. Ainsi il était poursuivi ? Par qui ? Des envoyés de la Reine-Mère ? Quelques espions payés pour retrouver la trace d'Anne ! Dans quel inextricable pétrin s'était-il fourré et l'avait-il entraînée !

Elle releva la tête, considéra longuement Jeanine, le nez rouge et la lèvre tremblante :

— Mais dis-moi un peu, toi, comment se fait-il que Féliciano t'ait accordé ses confidences ?

La jeune fille rougit jusqu'aux cheveux, se tortilla sous le regard inquisiteur d'Isabelle :

— Je l'aime bien vous savez, madame la comtesse, confessa-t-elle, paupières baissées... C'est point qu'il m'aime lui, mais je l'amuse.

A nouveau, c'était le déluge. Isabelle s'emporta :

— Arrête ! Tu m'empêches de réfléchir ! Ce n'est pas en versant un torrent de larmes que tu le retrouveras, ton Féliciano ! A l'heure qu'il est, il est loin et je le crois bien assez malin pour échapper à ses poursuivants.

D'un index péremptoire, elle désigna la porte :

— Eh bien, qu'est-ce que tu attends ? Va chercher de l'eau !

— Oui, madame ! Tout de suite !

Brusquement ragaillardie, elle vola jusqu'à la porte et la referma vivement.

« C'est vrai qu'il est malin, Féliciano ! Malin et menteur ! » Il avait bien caché son jeu mais Isabelle ne lui en gardait pas rancune. Elle lui reconnaissait plus de cœur et de qualités qu'elle ne lui en avait attribué de prime abord. Il s'était tu pour ne pas l'affoler. Il était parti dans la nuit comme un voleur, et c'était sans nul doute pour brouiller les pistes.

Et maintenant ? Elle espérait de toute son âme qu'il pourrait être de retour avant l'arrivée de Bonneval. Sinon, il avait bien recommandé de ne pas l'attendre ? Deux femmes, un chien... Bel équipage ! Une proie facile ! A nouveau la colère renaissait en Isabelle. Pourquoi diable ce stupide garçon ne lui avait-il pas fait confiance ? Pourquoi la laisser dans cette incertitude accablante ? Rageuse, elle s'empara d'un cruchon d'eau qui traînait sur le buffet et le projeta de toutes ses forces contre la porte. A l'instant même, celle-ci s'effaçait sur le visage blême d'Adrian Bonneval !

Le cruchon atteignit le clerc en pleine poitrine. Ahuri, il demeura sans voix, à la dévisager dans l'immobilité la plus totale.

— Monsieur Bonneval ! Pardonnez-moi ! Je... je ne m'attendais certes pas à ce que vous entriez au même instant... Vous ai-je fait mal ?

Honteuse, elle se précipita vers le jeune clerc mais il sourit en s'inclinant avec respect et sans se départir de son sérieux :

— Je vous en prie, madame... Ne vous excusez point... (Et sur un tout autre ton) : Comme vous le constatez, je suis dans les temps prévus...

Les temps prévus ! Mais oui ! Voilà que dans son trouble elle oubliait le principal... Les papiers ! La bouche sèche, sans même se rendre tout à fait compte de sa tenue sommaire, elle lui tendit les mains :

— Dois-je conclure à votre sourire que... ?

Le beau regard gris l'interrogeait avec passion. Adrian Bonneval se dit, comme la première fois dans l'antichambre de maître Grelier, que de sa vie d'humble clerc, il n'avait jamais eu l'occasion d'approcher de si près une aussi belle femme. Il avança à son tour ses deux mains, les referma sur celles d'Isabelle, qu'il comprima avec force sans quitter son sourire.

— Concluez à notre entière réussite, madame ! A cette heure, maître Grelier pleure sa fortune enfuie et la comtesse Anne-Louise doit assister à sa défaite !

— Seigneur !

Elle ne savait plus si elle devait rire ou pleurer. Elle tremblait comme une feuille. Pas un instant elle n'y avait cru. C'était comme un rêve, un trop beau rêve et voilà qu'il se matérialisait !

— Je veux les voir, dit-elle. Les papiers, je veux être sûre...

Quand elle tint ces maudits feuillets dans ses mains, quand elle put en caresser le velin un long moment, elle ne sut plus que faire. Elle hésitait. Cela ne lui semblait pas possible. Puis elle les déplia et les parcourut d'un œil avide. Oui, il n'y avait pas le moindre doute, il s'agissait bien du texte dont elle s'était assuré dix jours auparavant. Pas une rature, pas une tache, pas un terme ne manquaient.

Un sanglot lui échappa et elle les serra contre sa poitrine, maîtrisant avec peine les battements indisciplinés de son cœur. Libres ! Ils étaient libérés de toutes dettes, de toute entrave ! Ils allaient pouvoir vivre ! Le Castel était à nouveau leur bien ! Maintenant, tout était possible... Elle sentait bouillonner en elle des forces neuves. Elle avait gagné, elle, toute seule ! Elle avait gagné et rien ni personne désormais ne viendrait se mettre en travers de sa route ! Elle allait pouvoir vivre en paix !

Elle leva les yeux sur le visage fade d'Adrian Bonneval. Une affection sans bornes montait en elle et la portait vers ce personnage falot. Il était l'instrument de sa victoire !

— Comment vous remercier ?

Le clerc haussa les sourcils au-dessus de ses rondes lunettes, franchement surpris :

— Nous étions tombés d'accord, je crois me souvenir, madame, sur la façon de rétribuer mes services... ?

— Certes, oui...

Elle eut un sourire, s'arracha à son tabouret.

— La lettre est déjà prête. Elle vous attendait.

Il la suivit tandis qu'elle se dirigeait vers son panier d'osier et en extirpait un coffret de santal ; il était derrière elle quand elle en souleva le couvercle. La lettre reposait sur un fond de velours rouge...

— Voici, dit-elle en la lui remettant.

Leurs regards se croisèrent. Celui de Bonneval luisait étrangement derrière ses verres embués.

— Resterez-vous encore un jour ? demanda-t-il.

Isabelle ébaucha un geste d'incertitude :

— Il se peut... aujourd'hui... Mais je devrais déjà être loin !

— Tout le plaisir sera pour moi, murmura Adrian Bonneval en quittant la chambre à reculons.

⁂

Les murs de la chambre basse étaient badigeonnés au lait de chaux. C'était un avantage que dame Georgine avait obtenu de son époux l'année précédente. Elle en faisait des gorges chaudes car elle avait quémandé cette nouveauté pendant plus de trente années de vie conjugale ! Adrian Bonneval promenait un regard d'incommensurable ennui sur le décor vieillot de la grande pièce froide et humide.

Isabelle, trônant en bout de table, à la place d'honneur, plaignit le couple Bonneval, si gentil, d'avoir engendré un pareil rejeton ! Certes, il venait de lui ôter une rude écharde du pied, il lui sauvait la vie si l'on peut dire, mais elle ne se faisait guère d'illusion : ce n'était pas par amour du prochain !

La vie étriquée de ses parents paraissait l'irriter. Isabelle comprenait mieux, confrontée à cette répugnance qu'il ne dissimulait même pas, qu'Adrian Bonneval ait tenté par tous les moyens la conquête de la plus grande famille de Champagne, les Guise, ces puissants et redoutables « Aiglons de Lorraine » qui tenaient l'avenir du royaume entre leurs mains !

Dame Georgine avait mis les petits plats dans les grands pour ce dernier repas en famille. Tout le monde arborait ses habits du dimanche, même les deux petits apprentis de Maître Julien.

Isabelle était debout, se servant à même le tonnelet.

— Je me réserve à présent pour les compotes.

Isabelle se rassit sous l'œil satisfait de Dame Georgine. En face d'elle, Maître Julien entretenait son fils de problèmes qui ne le captivaient guère : les méventes, les taxes, la cherté des matières premières, la mauvaise foi des échevins, tout y passait.

Isabelle songea brusquement qu'ils allaient lui manquer. Ils étaient simples, ils étaient vrais. Ils se disputaient pour des broutilles mais, en réalité, tout rentrait toujours bien vite dans l'ordre.

Le repas terminé, après les adieux de circonstance, Isabelle grimpa les marches de bois quatre à quatre. Dans la petite chambre, Jeanine dormait à poings fermés. Isabelle nota au passage qu'elle avait fait honneur à la collation que Pierrette avait reçu l'ordre de lui porter. C'était bon signe ! Jeanine reprendrait vite le dessus ! Elle était de cette trempe qui ne se laisse pas abattre pour un galant perdu...

Tout en se dépouillant de ses vêtements, Isabelle songeait à tout ce qui l'attendait. Le voyage, Anne au bout du chemin qu'elle trouverait peut-être changé, aigri, à bout de souffle et de courage ? Elle songeait également à ce danger qui le guettait et dont elle ignorait à peu près tout... Plus loin, le repos enfin. Le retour au Castel, la conversation qu'elle devrait avoir avec Anne-Louise, un hiver solitaire mais dont elle ne verrait pas passer les trop longs jours, avec un peu de chance et beaucoup de volonté. Et le printemps..., Raoul près d'elle... Comme chaque soir avant de se laisser submerger par le sommeil, ses toutes dernières pensées volaient vers lui. Leur séparation risquait d'être longue. Déjà, elle lui pesait. Combien de mois ? Elle sentait, qu'insensiblement un fossé se creusait qui la séparait de lui plus que l'absence elle-même. Elle l'avait si peu connu !

L'orage la réveilla bien avant l'aube. Le ciel avait une teinte verdâtre. Des éclairs métalliques zébraient la petite lucarne. Isabelle sentit sa gorge sèche et attrapant sa vieille robe de chambre, s'en drapa et se dirigea vers la cuisine où elle espérait pouvoir se préparer une boisson réconfortante. Pierrette ronflait sur sa couchette. Le feu se mourait lentement. Vite deux ou trois bûches, un coup de tisonnier.

Négligeant de réveiller la servante. Isabelle chercha autour d'elle la boîte à épices dans laquelle Dame Georgine conservait précieusement amandes, cumin, gingembre et parfois un pain de sucre que Maître Julien recevait d'un épicier de ses relations. Après force hésitations, la jeune femme opta pour du vin chaud à la cannelle, puis, en attendant que la boisson se réchauffe sur les briques toujours chaudes du four, elle s'assit sur un vieux banc de chêne.

Les mains croisées, elle ferma les yeux, songeuse.

— Vous ne parveniez pas à dormir, madame ? Moi non plus !

Interdite, Isabelle rouvrit les yeux sur le visage d'Adrian Bonneval. En robe de chambre, bonnet de nuit et sans ses lunettes, des chaussons aux pieds, il était d'un comique irrésistible et, pendant un instant, partagée entre le fou rire et l'ennui, elle ne sut pas lequel des deux allait l'emporter. Finalement, ce fut l'ennui.

— J'avais tout simplement soif, dit-elle en regardant droit devant elle d'un air dédaigneux.

Sans se formaliser de la sécheresse de cet accueil, Adrian Bonneval prit place à son tour sur le banc.

— Non, murmura-t-il après un long silence. Vous aviez peur, Madame, car vous êtes une personne intelligente et vous vous doutez bien que rien n'est terminé, bien au contraire ! La comtesse Anne-Louise va passer à la contre-attaque et vous le savez !

Il rit entre ses dents, secouant ses maigres épaules. Elle le détesta parce qu'il mettait le doigt sur la plaie. Oui, elle avait peur. Peur des réactions de sa belle-mère, peur de l'inconnu, peur de Grelier qu'on ne devait pas museler si facilement et c'était lui, Bonneval, qui le lui faisait brutalement comprendre !

— Cette femme, reprit-il, je l'ai vue à l'œuvre ! Avec quelle science elle a séduit Grelier !

Il tourna vers Isabelle, figée, un visage ironique.

— Maître Grelier est véritablement un homme étrange ! Quant à moi je détesterais avoir l'impression d'être manœuvré, même par une dame de qualité !

— Que voulez-vous que vos états d'âme me fassent ?

Elle s'était levée, nerveuse. D'une main frémissante, elle se versa un peu de vin dans une tasse. Il fumait. Sa gorge se serrait.

— Ce qu'il va advenir des Villeron ne doit plus vous tracasser ! cingla-t-elle avec hauteur. Je pense que vous m'avez sous-estimée. Je suis née Malguérande et dans ma famille, jamais les femmes n'ont baissé les bras !

— A nous deux nous pourrions cependant accomplir de grandes choses...

— Comment cela ? Qu'entendez-vous par « à nous deux ?

Elle avait peur de comprendre !

Le toisant, l'œil olympien et la lèvre méprisante, elle avait espéré ramener Bonneval à sa juste mesure, celle d'un clerc miteux qui ne lui en imposait guère. Elle s'était trompée. Bonneval sourit tout en faisant claquer ses doigts.

— Au fond, constata-t-il, imperturbable, vous ressemblez à la comtesse Anne-Louise, madame... Tout aussi dure, froide, ambitieuse et calculatrice. Vous voulez réussir ? Soit ! Faire fructifier votre domaine ? Je veux bien vous croire capable de miracles, mais pas seule, malheureusement jamais seule ! Sans conseils, sans appuis, sans guide, vous coulerez le navire à la première tempête, que dis-je ? Au premier coup de vent ! Ce dont vous avez besoin, c'est d'un homme de confiance qui s'occuperait de tout ce qui paraît trop ardu pour une aussi jolie tête.

Aussi surprise qu'elle fut, Isabelle s'évertua à n'en rien laisser paraître. Dans un sens, elle était plutôt soulagée ! Elle l'avait cru, Dieu sait pourquoi, intéressé par une tout autre facette de sa personnalité !

Elle l'examina posément, le menton dans les mains :

— Si je suis bien votre raisonnement, vous êtes en train de me proposer une association ?

Ses petits yeux glauques plissés à force de concentration, Adrian Bonneval hocha la tête à plusieurs reprises.

— Laissez-moi prendre vos terres en main, les faire fructifier ! Je suis un homme de loi, madame, je saurai trouver le moyen de vous sortir de ce gouffre. Il y a aussi des détails que vous ignorez parce qu'ils sont trop anciens, ceux concernant les procès qui opposèrent le défunt comte Bernard aux religieuses Cordelières de Provins au sujet de la jouissance des forêts et des bois. Ces procès, votre beau-père les perdit parce qu'il ignorait son droit !

— Et parce qu'il se voit peu souvent qu'un noble gagne un procès contre l'église ! railla Isabelle. Non, vraiment, je vois trop dans quelle folie vous désirez m'entraîner !

Bonneval s'agita.

— Les femmes et leurs idées mesquines ! Pardonnez-moi, mais c'est ainsi que je l'entends ! Vous voulez gagner de l'argent et vous refusez la lutte ? C'est illogique !

Isabelle but son vin chaud jusqu'à la dernière goutte. Décidément, cet Adrian Bonneval n'avait pas fini de l'étonner ! Qui était-il donc ? Alors qu'elle l'avait cru bassement cupide, il lui proposait une association lucrative et de grande envergure !

Isabelle commençait à s'échauffer. Elle n'y comprenait strictement rien en matière de vente de futaies ou de taillis, jeunes ou vieux, mais ce dont elle était à peu près certaine c'était que la spéculation sur les terrains n'était guère à la mode et ne rapportait pas aux propriétaires contraints à ce genre d'expédients.

— Vous ne pouvez pas vous douter de l'or que l'on peut extraire d'une forêt bien arpentée, surveillée, couvée comme un œuf ! insistait Bonneval.

Isabelle se laissait emporter par la voix de Bonneval qui devenait étonnamment passionnée. Brusquement son exaltation tomba.

— Votre projet est extrêmement tentant, remarqua-t-elle, bras croisés sur sa poitrine, mais je doute fort que mon mari consente à ce changement radical ! Il est très attaché à sa terre, plus qu'il n'en donne l'impression ; d'une façon farouche, je crois, comme devaient l'être ses ancêtres et sans doute se refusera-t-il à toucher un seul pied de bois !

Bonneval haussa les épaules :

— Je me charge de convaincre le comte de Villeron ! affirma-t-il avec une conviction qui la stupéfia. C'est uniquement votre accord qui m'importe pour l'instant, car l'avenir des Villeron, c'est vous et vous seule...

Elle le considéra avec une attention soutenue, comme si elle le voyait pour la première fois. En fait, l'avait-elle jamais observé avec autre chose que de l'ennui ? Etait-il sincère ?

— Ne désiriez-vous pas entrer au service des Guise plus que tout au monde ?

Il sourit avec ambiguité et, là, elle le reconnut :

— J'ai longuement réfléchi, avoua-t-il, sans fausse honte, et j'en ai conclu que pour un homme dans mon genre, épris de liberté, il ne pouvait y avoir de plus bel avenir. Bien entendu, cela va de soi, je me réserverai un léger bénéfice.

— Bien entendu.

Elle pencha un peu la tête. Cherchait-il à la tromper ? Tout ceci était bien excitant ! Sans le savoir, il avait touché la corde sensible en elle. Isabelle se retrouvait telle qu'elle était, fille de forestier, écoutant son père discuter de la vente des bois avec Louis de Ronsard. Alors, elle n'avait guère que dix ans mais les deux hommes prononçaient des mots magiques qui la ravissaient.

— Et que ferions-nous de l'argent gagné ? émit-elle avec circonspection mais en appuyant bien sur le « nous ».

Le visage d'Adrian Bonneval s'éclaira.

— Les épices, dit-il, sont, sans conteste, le meilleur placement. Et avec elles les soieries, les fourrures, le vin, le sel, le papier. Ce qu'il faudrait avant tout, c'est affréter un navire, puis augmenter notre flotte au fur et à mesure. Pour les mers, nous avons l'embarras du choix : la Baltique, la Méditerranée...

— Vous rêvez, mon pauvre ami ! Avez-vous déjà entendu parler d'un noble trafiquant comme un gagne petit de marchand ?

Bonneval lui jeta un regard venimeux.

— Voilà où le bât nous blesse, madame ! Les gens de votre caste préfèrent cent fois mourir de faim et marcher dans des souliers percés que de travailler comme tout un chacun ! C'est pourquoi un jour ou l'autre, vous n'existerez plus ! La bourgeoisie et ces marchands qui vous dégoûtent tant auront pris votre place !

Il frappa du poing sur la table à laquelle il venait de s'accouder, comme autrefois son père, et c'était plutôt drôle de voir s'énerver un homme en bonnet de nuit !

— Mais réfléchissez, madame ! s'écria-t-il, réfléchissez !

Isabelle ferma les yeux. La tête lui tournait bizarrement, son cœur battait plus vite, c'était comme si un sang neuf circulait dans ses veines, comme si une porte s'ouvrait, amenant de l'air.

— Je vous fais confiance, murmura-t-elle en soutenant le regard de l'ancien clerc. Je vous donne carte blanche ! Cependant, permettez-moi de m'interroger sur l'origine de vos si brillantes idées... Pardonnez-moi si je me trompe, mais ne pensez-vous pas comme un huguenot ?

Le mot avait du mal à sortir, Bonneval éclata de rire :

— C'est peut-être parce que j'en suis un, madame, que je pense et agis comme tel !

Elle eut du mal à se faire à cette affirmation. Un frisson la traversa. Elle pâlit.

— Eh bien alors, faites en sorte que jamais le comte de Villeron ne s'en doute, mon ami. Notre association risquerait de demeurer à l'état de projet !

Bonneval hocha la tête.

— Rassurez-vous ! Je n'ai pas encore abjuré. J'écoute la messe tous les jours. Seulement, j'ai beaucoup lu et beaucoup observé mes contemporains, et leur façon de vivre et de concevoir l'existence m'a enrichi...

Il s'inclinait sur la main d'Isabelle :

— Je pars demain pour Joinville. J'essaierai d'y joindre le comte...

***

A Gien, Isabelle s'était sentie déjà mieux. Elle rentrait chez elle, oui, c'était un peu ça ! Quand, après une bonne nuit de lourd sommeil dans une auberge de la petite ville aux logis de briques roses à pans de bois, elle loua les services d'un marinier pour « baisser » la Loire jusqu'à Orléans, elle huma un peu de l'air du pays...

La veille, avec une Jeanine lugubre et un Apollon frétillant, elle avait laissé derrière elle Briare. Depuis, un même paysage tendre, peupliers squelettiques, ponts de bois et moulins paresseux, festonnait le grand fleuve. Des lieues de terre basse, serties d'herbes grises et vertes, et, parfois, au détour d'une butte naine, une chaumière dont la blancheur et le toit de tuiles mauves amenaient des larmes dans les yeux des deux femmes.

Maintenant, assise sur un lit de paille, les genoux dans les mains, les pieds tendus vers un petit âtre de fortune, Isabelle regardait s'éloigner, par la petite fenêtre, les pignons aigus et les auvents pansus de Gien... Et par-dessus les toits, les briques noires et rouges du château d'Anne de Beaujeu... Ils entraient en doulce France...

Couchée contre Isabelle, Jeanine dormait. Elle conservait la triste figure des filles délaissées et Isabelle avait peur de trop bien comprendre ce qui s'était passé entre elle et Féliciano...

Un cheval hennit doucement. Isabelle redressa la tête. Elle savait qu'ils étaient attachés à l'arrière, loin des mâts et des marchandises. Apollon devait être couché à leurs pieds.

Dans une grande marmite mijotait la « patouillée », dont les mariniers aussi bien que les voyageuses allaient devoir se contenter. L'épervier avait ramené au matin une poignée de brêmes et d'ablettes. Versées pêle-mêle dans le chaudron, avec oignons, aulx et sel, le tout couvert d'eau, ce serait fade mais tout de même nourrissant. On ferait passer le goût un peu vaseux d'une lampée de vin chaud !

Jeanine gémissait dans son sommeil. Ses plaintes ramenèrent Isabelle à son chevet. Elle se rassit au bord du bat-flanc, le menton dans les mains, méditative.

— La contrée vous plaît-elle ?

Isabelle sursauta puis, vivement, sourit au nautonnier qui encadrait sa haute stature dans la porte et lui posait cette question directe. C'était un grand diable d'homme, dans la quarantaine, aux cheveux facilement embroussaillés et aux yeux d'oiseau de proie. Malgré son aspect peu engageant, elle lui avait immédiatement fait confiance, assez tout au moins pour lui confier son sort et celui de Jeanine.

Elle soutint son regard .

— Oui, le pays me plaît, dit-elle... Malgré le vent et le brouillard... Comment pourrait-il en être autrement ? Je suis née pas très loin d'ici, au bord du Loir !

Le capitaine fronça les épais sourcils noirs :

— Oh ! Une payse ! M'en voyez ravi !

Ses larges mains calleuses passées dans sa ceinture de toile, il cracha sur le feu, puis, lui tournant le dos se versa une goulée de vin chaud.

— Z'en voulez ? s'informa-t-il auprès d'Isabelle quand il se fut désaltéré.

— Volontiers, merci... Il fait un peu frisquet !

Jeanine s'éveillait avec des langueurs de chat. Elle cligna des paupières et en apercevant le capitaine, son visage se rembrunit... D'un geste décidé, elle drapa son châle de serge noire sur ses épaules et quitta l'abri de planches sans un mot... Son attitude était franchement explicite... Elle détestait le capitaine ! Allait-on savoir pourquoi ! Elle tremblait d'un rien depuis la fuite de Féliciano. A Gien, elle avait glissé à l'oreille d'Isabelle... « Cet homme-là ne m'inspire pas confiance ! Et si c'était un de ceux qui poursuivent Féliciano ? »

Isabelle, à ce souvenir, se mit en boule. Cette satanée fille ! Voilà que maintenant elle voyait des espions sous chaque pierre... Elle finirait par lui miner le moral ! Elle eut un mouvement d'humeur vers la porte, pour aller tancer Jeanine, mais le nautonnier l'interpella.

Elle fit volte face. Il s'était emparé de l'unique tabouret, et à califourchon, examinait sa passagère avec attention :

— Comme ça, vous rentrez chez vous ? Pour l'Avent ?

— Oui, pour l'Avent...

— Et votre mari, ma belle dame ? Il vous laisse voyager toute seule, comme ça, avec votre servante et votre chien ?

Décontenancée, Isabelle fixa son interlocuteur d'un œil soupçonneux, puis elle se gourmanda : il n'y avait vraiment pas matière à s'affoler... une simple constatation. Cet homme avait dû apercevoir son alliance. Elle prit un air dégagé :

— Il ne peut se déplacer... Les affaires, vous comprenez ? Quant à moi, je vais rendre visite à une parente malade...

Le marinier hocha la tête d'un air entendu.

— Et de quelles sortes d'affaires il s'occupe, votre mari ?

— Il est notaire, répondit-elle, en songeant à Adrian Bonneval à Auxerre... Et présentement, qu'est-ce que vous transportez ?

— Vins de Bourgogne, ma belle dame !

Tout à coup, du fond de l'opacité qui encerclait le bateau comme un manteau gris, jaillit un cri :

— Capitaine ! Les algues ! On s'embourbe !

— Dépêche-toi, bon sang ! Gâche, gâche ferme, imbécile !

Isabelle s'était jetée d'un mouvement hors de la

carrée. La gabare tanguait comme un bateau ivre. Elle entendait le souffle précipité des mariniers et les grands coups de la gâche qui essayaient vainement de faire virer de bord l'embarcation de tête...

La voix de stentor du capitaine tonnait comme un tambour. En entendant les chevaux hennir de frayeur, Isabelle se précipita à tâtons vers l'endroit où ils étaient attachés. Un nouveau coup de gâche et elle n'eut que le temps de se raccrocher à l'encolure de sa jument qui piaffait, les naseaux écumants, tirant sur ses rênes. Isabelle sentait son cœur battre la chamade mais elle tenait bon, il fallait tenir car sinon la jument prendrait peur et risquait de casser sa corde, peut-être même de sauter dans la Loire...

— Tout doux, ma belle, tout doux...

A ses pieds passa la grande silhouette sombre d'Apollon. Elle reçut un coup de queue en pleines chevilles et faillit lâcher prise. D'un coup de talon rageur, elle repoussa le dogue :

— Couche-toi, allez !

Le capitaine cria, de loin, sans même regarder dans sa direction :

— Craignez rien ! C'est souvent que ça nous tombe dessus quand on est pressé ! Mais on arrive à bout, belle dame !

Sa voix rocailleuse lui parvenait comme à travers un mur.

— Je n'ai pas peur ! jeta-t-elle, comme un défi lancé au brouillard.

Dans son dos, Jeanine poussait des cris de poulet qu'on étrangle :

— Madame ! Sainte-Vierge, où êtes-vous ?

— Je suis là, avec les bêtes !

Elle se sentit bousculée, puis la main de Jeanine s'agrippa à l'une de ses épaules.

— Oooh ! Madame ! J'en suis toute malade... Est-ce qu'on va se... noyer ?

— Mais non, bêtasse ! Tu n'as pas entendu le capitaine ? Ce n'est pas grave !

Elle cherchait elle-même à se rassurer et, bien plus tard, quand l'alerte ne fut plus qu'un souvenir désagréable, elle se demandait encore comment elle avait pu ne pas se mettre à hurler, elle aussi, de frayeur !

Les mariniers vinrent à bout des herbes meurtrières et tout l'équipage eut droit à une rasade de vin chaud dans la carrée.

— Alors, ça nous a secoués hein, un bon coup ?

Le capitaine s'approchait d'Isabelle, l'œil inquisiteur. Elle frissonna, les bras croisés sous son châle humide.

— Pas vraiment ! Je vous gardais ma confiance !

Il sourit. Un drôle de sourire fataliste qui brusquement réveilla d'anciennes terreurs chez Isabelle... Une bizarre envie de pleurer lui étreignit la gorge. Ce n'était point la peur rétrospective d'une fin horrible au fond de la Loire, c'était une sorte de confusion qui remontait du fond des âges. La peur de l'inconnu, une angoisse informulée qui prenait racine au tréfonds d'elle-même et dont, paralysée, elle n'arrivait pas à définir la nature exacte : en vol plané, au dessus d'elle, un danger imminent et l'impression que jamais, elle ne reverrait le Castel. Etait-ce d'avoir frôlé la mort de si près ? Elle eut soudain, jusqu'à l'oppression, la vision d'un avenir déchiré...

A Saint-Benoit-sur-Loire, elle luttait encore contre cette insidieuse panique. En vue de Jargeau, le soleil se levant, elle l'oublia...

⁂

Orléans ! Enfin ! murmura Isabelle et elle ne put réprimer le soupir de soulagement qui montait à ses lèvres desséchées par le vent qui soufflait sur la Loire.

Devant elle, la narguant de toute sa hauteur, un vieux pont couvert de maisonnettes aux toits pointus et collées les unes aux autres, barrait le fleuve. Des moulins le bordaient, pendus sous les voûtes les plus proches des rives et les remous de la Loire se groupaient sous les arches verdâtres, soudain avides comme des sangsues.

Comme beaucoup, le bateau qui transportait Isabelle accosta sur la berge sablonneuse, transformée en port. Il y avait foule. Les commerçants venus prendre possession de marchandises commandées ou se rendre compte de l'état des derniers arrivages pour en débattre les prix. Quelques commères rassemblées en comité professionnel soupesaient d'un regard méfiant la marée fraîchement arrivée de l'océan.

Isabelle sauta résolument sur la berge. Instinctivement elle referma les pans de sa cape sur sa poitrine et promena autour d'elle un regard étourdi. Le moutonnement de quelques îlots couverts d'arbres mettait une note d'exubérance rousse sur le gris des tours qui s'élevaient, sentinelles inertes, mirant leurs façades trouées de barbacanes dans les eaux boueuses.

Des éclats de voix, des appels, s'entrecroisaient. Un petit vent sifflait dans les oreilles d'Isabelle et elle se laissait aller, tout bêtement, au plaisir d'être parvenue à bon port.

— Oh ! La belle... attention !

Une charrette passa près d'Isabelle à la frôler. Un peu de boue l'éclaboussa. Elle se pencha pour épousseter sa robe. C'est alors qu'elle aperçut le capitaine. En grande conversation avec un drôle vêtu d'une vieille culotte de droguet et d'une blouse informe, il la montrait du doigt.

— Madame... Que fait-on maintenant ?

La voix plaintive de Jeanine exaspéra Isabelle.

— Va donc porter les quatre sols promis au capitaine et occupe-toi de ta mule au lieu de pleurnicher ! lança-t-elle tout en se penchant pour ramasser son panier.

— Un porteur ? Je vous ai trouvé un guide et un porteur ! s'écria la voix du capitaine dans son dos... Cela vous intéresse ?

Isabelle se redressa. Il traînait son interlocuteur tout intimidé jusqu'à elle :

— Il est compagnon sans travail. Je réponds de lui comme de mon propre frère... Alors, cela vous dit ?

Isabelle, franchement surprise par cette initiative, réfléchit un court instant. Un guide ? Il lui serait utile pour trouver l'Hôtel-Dieu !

— Merci bien, capitaine ! dit-elle en se saisissant des rênes de sa jument. Qu'il nous accompagne. Tu viens Jeanine... Apollon !

Et elle éperonna.

L'auberge découverte par le guide dans une agréable ruelle étroite et pavée dans toute sa longueur, peu éloignée de la Loire, possédait une façade en bois sculpté de la plus jolie façon. Des fumets appétissants s'échappaient par la porte ouverte.

Pour Isabelle cependant, une fois rafraîchie, ses cheveux débarrassés de la poussière du voyage, il ne s'agissait point encore de goûter au subtil plaisir de la table. Elle laissa Jeanine et Apollon et se mit en route pour l'Hôtel-Dieu.

CHAPITRE XI

Isabelle éprouva une certaine anxiété à traverser la ville, non parce qu'elle était grande et encombrée de toutes sortes de voitures et de gens, mais parce qu'il lui sembla étrange, tout à coup, d'approcher de si près celle qui avait longtemps été le fer de lance de la religion huguenote, cette cité farouche qui avait acclamé en héros et libérateurs les chefs de la nouvelle religion.

Et voilà qu'Isabelle contemplait l'œuvre impie des huguenots. Sur le parvis de la belle cathédrale en ruines, elle s'attarda, le cœur chaviré. De l'admirable architecture gothique ne restaient qu'un magnifique portail et deux tours. Des échafaudages entouraient le clocher qu'ornaient une boule et une croix dorées, mais le délabrement était tel qu'Isabelle douta que les maçons parviennent à la sauver.

Elle demanda au guide si l'on célébrait encore la messe dans la cathédrale et comme il hochait la tête, elle se promit d'aller se recueillir devant l'autel dévasté avant de quitter Orléans. Ce serment fait, elle se sentit beaucoup mieux, en paix avec elle-même. Il y avait bien longtemps qu'elle ne s'était plus préoccupée de l'état de son âme ! En fait, depuis son mariage, car d'aller écouter la messe ne suffisait pas ! Elle songea que son geste plairait à Raoul et qu'il serait fier d'elle. Cette pensée aussitôt affirmée, elle se rembrunit.

Comprendrait-il la prière qu'elle formulait à l'instant, devant la cathédrale martyre ? « Que plus jamais les lances ne se croisent, que plus jamais ne coule le sang au nom de Dieu, sous de fallacieux prétextes... Que plus jamais ne s'avilissent les hommes injustement... » Comprendrait-il ? Elle en doutait.

— L'Hôtel-Dieu, madame...

Sans qu'elle s'en soit rendu compte, son guide l'avait conduite à destination jusque devant le sombre et long édifice qui s'appuyait au cloître Sainte-Croix. Une lourde et haute porte se dressait, avec à son fronton l'inscription de « Grand Hôtel-Dieu » et un énorme crucifix. Elle donna son dû au guide et allait se pendre à la cloche qui commandait l'entrée quand le conducteur d'une charrette de fèves et de choux la devança. Les lourds vantaux d'ouvrirent et Isabelle, à la suite de la charrette, s'avança dans une immense cour pavée. Elle avisa un portier qui aidait au déchargement des légumes.

— S'il vous plaît...

L'homme, jeune encore, la gratifia d'un regard morne puis, la découvrant jolie, lui adressa un large sourire.

— Je viens voir un malade, dit Isabelle.

— Oh là ! Eugène ! Viens m'aider au lieu de conter fleurette aux filles !

— Adressez-vous au clerc, dans le vestibule, lança rapidement le portier avant de rejoindre le charretier... Moi, je voudrais bien vous accompagner, mais je ne peux pas !

— Mais où est ce vestibule ?

Le jeune homme lui montra une porte, au fond de la cour.

Derrière cette porte, il y avait une seconde cour, plus réduite. Isabelle aperçut la robe noire d'une religieuse et ce fut comme un choc, le déchirement merveilleux que devait recevoir le pauvre malade qui entrait là, soudain persuadé d'être dans la main de Dieu... Le silence était tel qu'on pouvait le sentir, le toucher presque, comme une douce écharpe suspendue entre le ciel et la terre.

Au pied d'un imposant perron, Isabelle s'immobilisa. Quatre marches la séparaient de l'élégant portail. La façade était austère mais l'égayaient cinq rangs de fenêtres à vitrail. Un crucifix entouré des statues de la Vierge, de Saint Jean l'Evangéliste et de Marie-Madeleine. Isabelle escalada les marches, d'une main elle poussa le portail et se retrouva telle un petit pion perdu sur un grand échiquier noir et blanc de dalles luisantes, sur lesquelles ses pas timides prenaient une résonance inattendue. Des bancs étroits s'adossaient contre un mur nu et tout au fond du vestibule, un clerc écrivait lentement. Devant lui, deux religieuses soutenaient une pauvre femme gémissante. Il y eut un échange de paroles. L'une des sœurs tendit un baluchon crasseux à un valet qui se tenait debout, près de la table.

On entraîna la malheureuse.

Seul, le clerc se tourna vers Isabelle. Il l'effleura à peine du regard, habitué à voir entrer toute sorte de gens et demanda d'une voix calme et plate :

— Votre nom, ma sœur ?

— Je suis venue voir un malade, prononça Isabelle.

— Un malade ?

Le clerc s'était levé de son tabouret et examinait la jeune femme avec une attention nouvelle. Elle remarqua son visage rond et luisant. Il posa sa plume sur son registre ouvert :

— Mais bien sûr, proféra-t-il comme s'il venait de se remémorer un important détail... Vous êtes madame de Villeron, n'est-ce pas ? Suivez-moi, je vous prie...

— Vous attendiez ma visite ? questionna Isabelle, au comble de la stupéfaction, en lui emboîtant le pas.

Le clerc, lèvres serrées, marchait vite. Isabelle avait du mal à suivre son rythme.

— Monsieur de Chelles serait-il plus souffrant ? souffla-t-elle d'une voix blanche.

— La personne auprès de laquelle je vous mène saura mieux que moi vous renseigner, madame.

« Quelle personne ? faillit demander Isabelle, de plus en plus intriguée. » Puis elle pensa à un médecin ou au doyen de la communauté religieuse et se tut.

— Veuillez attendre un instant, madame.

Elle préférait savoir tout et tout de suite, le bon comme le mauvais. Brusquement l'évidence de sa solitude la frappa. C'était une curieuse impression de vide. Elle se rappelait les exaltants projets d'Adrian Bonneval. A l'heure qu'il était, il devait être auprès de Raoul. Parviendrait-il à le convaincre ?

Elle essayait d'imaginer la réaction de son mari. Serait-il surpris ? Mécontent ? Elle lui avait, en toute hâte griffonné quelques mots pour le mettre au courant de son voyage à Orléans et de la maladie de son frère. Comment accueillerait-il sa décision ?

— Eh bien, ma chère Isabelle, comment allez-vous ?

Isabelle pivota sur elle-même. Ses yeux s'agrandirent démesurément... Rêvait-elle ?

— Monsieur de... Villeroy ! Nicolas ! Que faites-vous ici ?

Le jeune secrétaire de Charles IX esquissa un pâle sourire :

— Ma foi ! La même chose que vous, ce me semble...

Cette déclaration jeta Isabelle dans la plus profonde perplexité. Elle considéra le visage aimable et fin du secrétaire et le revit, dans la chambre du Petit-Paris, donnant calmement lecture de son contrat de mariage. Pour complaire à son grand ami Pierre de Ronsard, il avait risqué la confiance de la Reine-Mère.

Isabelle, à ce souvenir, sourit. Elle s'était confusément attendue à rencontrer tôt ou tard un homme de Catherine de Médicis sur sa route et elle félicita le sort d'avoir désigné celui-là plutôt qu'un autre ! Elle en éprouva même un immense soulagement !

Cette frêle silhouette grise de commis aux écritures, c'était un garant pour l'avenir. Il les aiderait.

Elle lui tendit les mains. Nicolas de Villeroy les garda longtemps dans les siennes. Son regard attentif et sérieux scrutait intensément la jeune femme. Isabelle se prit à rougir en songeant à la coupe grossière de sa robe de laine !

— Comment se porte cette chère Madeleine ? murmura-t-elle d'une voix étranglée.

— Fort bien. Maintenant, entrons là, voulez-vous ? Nous serons plus à l'aise pour parler.

Il la poussait d'autorité dans une petite pièce contiguë à l'antichambre.

— Asseyez-vous. Vous devez être horriblement fatiguée.

Isabelle accepta le tabouret qu'il lui offrait. D'un œil étonné, elle découvrait la rigueur déconcertante du mobilier conventuel : une couchette coincée dans un angle, un bougeoir sur un tabouret. Il faisait froid. Elle croisa ses mains pour les réchauffer.

— Anne ? chuchota-t-elle.

— Il va beaucoup mieux.

— Mieux ? Vous voulez dire qu'il est hors de danger ? Complètement guéri ? Oh ! Nicolas ! Comme je suis heureuse ! Je m'étais fait tant de souci...

— Ne vous réjouissez pas trop vite ! Il aurait mieux valu pour lui qu'il demeurât encore longtemps fiévreux, entre la vie et la mort !

La dureté de cette conversation refroidit le bel élan d'Isabelle qui leva sur Villeroy un regard incertain et choqué.

— Comment osez-vous prononcer une horreur pareille, Nicolas ? Anne n'est-il plus votre ami ?

Un flot de sang aviva les joues pâles du jeune secrétaire de Charles IX.

— Mon ami ! railla-t-il... Certes, il l'est, un peu trop même ! Et c'est parce qu'il est mon ami que je suis là, tentant depuis d'interminables jours, par tous les moyens, de l'aider, alors même qu'il s'obstine au silence le plus rebutant ! C'est à se demander s'il n'est pas devenu fou !

Une incommensurable lassitude fondit sur Isabelle.

— Je sais qu'il a désobéi à Sa Majesté, soufflat-elle. Est-ce donc si... grave ?

Elle n'osait plus regarder le secrétaire en face. Son instinct lui faisait pressentir la réponse et cette réponse était terrifiante... C'est pourquoi, elle ne réagit même pas quand la voix de Villeroy s'éleva, coupante :

— Anne est impliqué dans une affaire d'intelligence avec l'Espagne et je ne vois pas comment il pourra prouver son innocence s'il refuse de parler !

— Ne vous mettez pas martel en tête, Isabelle, tout est dit.

Au son de cette voix familière, elle fit volte face, la réplique toute prête, mordante, sifflante, mais elle se heurta au tranquille sourire d'Anne de Chelles et sa rage se mua en désespoir.

— N'avez-vous donc pas compris qu'il y va de votre liberté, Anne ? Plus encore, de votre vie ?

Les sourcils du jeune homme se froncèrent jusqu'à ne plus former qu'une ligne blonde au-dessus de ses yeux étonnamment noirs, comme ceux de sa mère. Il quitta la table où depuis de longues heures, malgré sa fatigue, il s'appliquait à la fastidieuse traduction de *l'Iliade*.

Isabelle, désemparée, le regardait venir. Depuis qu'elle avait été mise en sa présence, elle ne le reconnaissait plus. Cet homme déconcertant et placide n'avait rien de commun avec le jeune homme aimable et sceptique rencontré à Blois. Un lien s'était tacitement établi entre eux bien qu'ils ne se soient plus revus après l'unique soirée passée ensemble à Blois, mais elle avait conservé le souvenir réconfortant d'une âme intègre et forte, d'un esprit stable et raffiné. Que restait-il de lui aujourd'hui ? Ses souffrances, ses erreurs justifiaient-elles un changement si radical ?

— Mais n'avez-vous donc pas compris à votre tour, Isabelle ? J'ai fait serment de ne rien dire. Même sur la roue, croyez-moi, je ne parlerai pas !

Le ton était badin et c'était cela qui l'horripila le plus. Après tout, il n'était pas seul en cause, Raoul, elle-même, pouvaient payer pour lui !

— Vous divaguez ! lança-t-elle avec violence. Que cherchez-vous à prouver ? Votre courage indomptable ? Votre inattaquable sens de l'honneur ? Soyons réalistes ! (Elle ricana) : Récapitulons, voulez-vous, puisque vous avez une fâcheuse tendance à l'oubli !

Elle se planta devant lui, écarlate, bien décidée cette fois à lui faire entendre raison :

— La Reine-Mère vous envoie à Paris pour surveiller l'Ambassadeur d'Espagne, dont elle se méfie. Travail de routine, en principe, et que vous acceptez. Cependant, vous écourtez votre séjour et venez vous réfugier ici. Pourquoi ? Vous refusez de répondre ! De votre retraite, vous dépêchez votre valet, Féliciano vers une destination connue de vous seul, et porteur d'un message codé du duc d'Albe en personne ! Le message intercepté et déchiffré laisse apparaître que le roi d'Espagne contribue avec son or et sa bénédiction à l'achat d'âmes françaises dans le seul but de préparer de nouveaux troubles dans le royaume. Jusque-là, Anne, vous pouviez facilement passer pour un intermédiaire occasionnel qui ignorait le contenu du message qu'il convoyait. Mais quand, mis devant l'évidence, vous vous obstinez à ne pas vouloir révéler l'identité du destinataire de ce pli capital, vous vous rendez automatiquement complice d'un complot... Comprenez-vous ?

Anne de Chelles laissa fuser un léger rire. Il se déplaça et alla jeter un coup d'œil par la fenêtre. Elle remarqua avec un pincement au cœur sa démarche hésitante, ses épaules amaigries. Elle aurait voulu pouvoir le plaindre sans restriction mais sa rancœur était plus forte que sa pitié...

— Vous auriez fait un splendide avocat, ma

chère Isabelle ! ironisa-t-il en se tournant vers elle subitement. Vous auriez dépassé le talent oratoire de mon ami, le juriste toulousain Guy du Faur de Pibrac !

— Ne plaisantez pas ! Vous m'exaspérez !

Avec un mouvement d'impatience, elle gagna l'angle de la cellule dans lequel se trouvait la couchette du jeune homme et s'y assit. Quoi qu'elle dise, il avait une réponse toute prête. Quoi qu'elle invoque, il repoussait tous ses arguments avec le sourire ! Il ne désirait pas qu'on s'occupât de lui. Alors pourquoi l'avait-il appelée ?

Elle s'était empressée de lui poser la question, lors de leur premier entretien. Il avait haussé les épaules. « J'étais malade, je me sentais mourir. Je ne peux vous expliquer ce qui alors, m'a traversé l'esprit, Isabelle. Ne m'en demandez pas davantage... »

Voilà tout ! Etait-ce une excuse valable ? Elle en doutait ! Elle ne voulait pas le croire ! Il mentait, effrontément ! Il avait besoin d'aide et il n'acceptait ni la sienne, ni celle de Nicolas de Villeroy.

Elle lui lança un regard furieux.

— Et Féliciano ? Y songez-vous ? Votre attitude de perdant l'a réduit à une fuite perpétuelle ! Ce garçon est persuadé qu'il est pourchassé comme la peste ! Je me souviens de son air de bête traquée. Je me fais du souci pour lui, Anne. En quittant Auxerre, il ne vous a pas rejoint. Où croyez-vous qu'il soit allé se réfugier ? A-t-il de la famille en France, des amis ?

— Ne vous tourmentez pas pour Féliciano. Il s'en sortira tout seul ! Il a échappé une première fois aux hommes de la Reine-Mère quand cette lettre a été interceptée. Il a pu vous rejoindre. C'est un garçon débrouillard... Ne vous inquiétez pas !

— Vous avez réponse à tout ! C'est énervant !

Il sourit bizarrement et lui tourna le dos. Le temps s'écoula, vide, pesant. Il semblait avoir oublié sa présence.

Découragée, Isabelle ne se résolvait pas à quitter la cellule sur un second échec. Elle avait promis à

Villeroy de le convaincre. Du coin de l'œil, inquiète, elle l'épiait. Avait-il vieilli ? Non. Cette fatigue de ses traits était due aux récentes fièvres qui l'avaient secoué. Mais qu'il était maigre, décharné, blême... Par moment, il toussait. Il lui rappelait Charles IX.

Il s'était rassis à sa table de travail. Que pensait-il ? A qui pensait-il ? A l'homme ou la femme qu'il tentait désespérément de protéger ? Un vil espion qui, peut-être, dans une situation similaire, n'aurait pas hésité à le trahir froidement ?

Elle écouta un long moment le râclement irritant de sa plume tandis qu'il prenait des notes, puis le voyant refermer son livre et croiser les bras, elle se rapprocha.

— Vous êtes encore là ? dit-il sans lever la tête.

Elle rougit mais tint bon.

— Je suis là, oui. Quant à vous, Anne, où êtes-vous parti ? Vous ne voyez plus rien, ni personne ! Vous n'avez même pas pitié ni de Raoul, votre frère, ni de... votre mère qui doit vous aimer après tout !

— Pourquoi dire : après tout ? Ma mère m'aime, naturellement. Mais en ce qui concerne Raoul, voyez-vous, il ne pense qu'à lui. Il n'a jamais pensé qu'à lui.

— Vous vous trompez ! Raoul n'est pas ainsi !

— Vous croyez, Isabelle ?

La tristesse de sa voix ! Elle ne sut que répondre. Peut-être n'avait-il pas tout à fait tort ? Raoul était égoïste pour certaines choses, mais généreux pour d'autres. Il n'aurait pas laissé son frère dans l'embarras !

— Certes, reprit-il après un soupir désenchanté, Raoul est le meilleur de nous deux. Coléreux, passionné mais énergique, courageux, fort comme un lion. Je le connais bien. Je l'ai admiré souvent de posséder toutes les qualités que je n'avais pas, une prestance, l'autorité qui fait les chefs. Lorsque Nicolas m'a appris votre mariage, je n'ai guère été surpris, Isabelle. Il était juste que vous le choisissiez.

Un long frisson parcourut la jeune femme. Un sentiment fait de tendresse et de reconnaissance la submergea. Oui, Anne aimait son frère bien qu'il s'en défendît et qu'il le jugeât avec partialité. Et c'était merveilleux soudain de pouvoir regarder quelqu'un bien en face et de penser la même chose que lui, en toute sincérité, sans se défendre, ni dissimuler.

— Raoul vous aidera, murmura-t-elle, soyez-en persuadé.

— Raoul n'a pas le temps de penser à moi, Isabelle. N'agravez point ses peines.

Elle tressaillit.

— Quelles peines ? Je ne lui en connais aucune !

D'une main doucement posée sur son avant-bras, Anne la rasséréna.

— Vous savez tout aussi bien que moi que nous ne sommes que demi-frères, Raoul et moi. Il a juré de venger la mort de son père. Laissez-le rêver. Il en reviendra.

Il contourna la table et lui saisit les mains, les pressa contre ses lèvres. Isabelle sentit l'émotion la submerger. Les émotions violentes et contradictoires qu'elle avait connues depuis son arrivée à Orléans crevaient sous un flot de sanglots nerveux et enfantins. Epouvantée par la résolution inébranlable qu'elle devinait derrière les paroles de son beau-frère, elle s'accrocha à ses épaules efflanquées, le serra de toutes ses forces contre elle.

— Ne parlez pas ainsi, Anne ! Nous irons nous jeter aux pieds du Roi ! Si besoin est, le cardinal de Lorraine, la duchesse Antoinette interviendront en votre faveur ! Votre famille ne vous abandonera pas ! J'en fais le serment !

Sa voix se brisa. Elle pleurait maintenant sans retenue. Il lui semblait qu'elle n'avait jamais été aussi malheureuse de toute sa vie.

— Regagnez le Castel, murmura-t-il. Et soyez heureuse. C'est tout ce que je vous demande. Il frappa au vantail et le clerc de garde ouvrit. Elle se retrouva dans l'étroit corridor, désorientée. Elle regardait le vide des murs. Il lui semblait impossible qu'Anne doive demeurer enfermé, lui si plein d'espoirs et de projets, naguère !

Le clerc s'apprêtait à refermer la porte. Elle se précipita à l'intérieur à nouveau, se suspendit au cou de son beau-frère.

— Nous allons faire l'impossible ! Malgré vous ! Vous verrez, Raoul trouvera une solution. Il vous tirera de là !

Elle sentit qu'il cherchait à la retenir, à parler, mais elle ne voulait plus l'écouter. Elle se recula promptement. La porte de la cellule se rabattit sur le visage pétrifié d'Anne de Chelles.

Des sanglots dans la gorge, elle tourna les talons.

∴

Avant qu'Isabelle se décide à quitter Orléans, Nicolas de Villeroy organisa un petit souper, à l'auberge. Isabelle demanda qu'il soit servi dans la chambre qu'elle partageait avec Jeanine.

L'atmosphère était tendue. Tout au long de cette dernière journée, le jeune secrétaire avait éprouvé toutes les peines du monde à apaiser la douleur de la jeune femme. Au fil d'une conversation à bâtons rompus qui n'intéressait personne, étaient apparus comme sur le devant d'une scène, des visages connus. Pour dérider Isabelle, Nicolas de Villeroy se mettait au diapason des beaux diseurs de la Cour.

— Si nous nous installions près du feu ? proposa-t-elle après le souper.

Jeanine reprisait des bas devant l'âtre. Apollon dormait à ses pieds. Elle n'avait pas osé demander des nouvelles de Féliciano, mais Isabelle sentait bien qu'elle mourait d'envie de savoir ce qu'il était advenu du garçon. « Plus tard, se dit Isabelle en prenant place près de sa chambrière... Il faudra que je lui parle... »

— N'avez-vous rien d'autre à faire, ma fille ?

Nicolas de Villeroy promenait un regard amical sur la jeune fille qui tourna la tête vers Isabelle.

— Je descends Apollon dans la cour, murmura-t-elle. Le pauvre n'a pas mis le nez dehors depuis ce matin !

Quand elle eut refermé la porte de la chambre derrière elle, Isabelle, soucieuse, tendit le menton vers Villeroy :

— Qu'avez-vous de si particulier à me dire, Nicolas ?

Il ne s'était pas assis et, debout, les mains au dos, contemplait les flammes rougeoyantes du feu.

— Coupable ou innocent, grommela-t-il, le problème demeure entier, vous vous en êtes rendu compte, je suppose ? De plus, il ne peut rester indéfiniment à l'Hôtel-Dieu. Déjà les échevins de la ville qui en assument l'administration conjointement avec le maître de la congrégation religieuse, m'ont fait savoir, sans détours, qu'ils ne prisaient guère cette liberté prise avec un établissement de charité.

D'une main agitée, il lissa ses courts cheveux. Son front se creusa de rides, ses yeux cruellement cernés se posèrent avec une attention douloureuse sur Isabelle. Bouleversée, la jeune femme y lut le drame intime qui le rongeait : partagé entre son devoir et l'amitié, Nicolas devait souffrir mille morts et pour lui, toute décision était pénible à prendre, tout rapport crucifiant à rédiger.

— Vous avez tenté l'irréalisable, le rassura-t-elle d'une voix qui se voulait consolatrice... Moi, j'ai échoué lamentablement sans avoir le courage de m'accrocher et je ne garde aucun espoir de le voir changer d'avis. Il m'a paru tellement...

Elle cherchait fébrilement le qualificatif adéquat.

— Fou, inconscient ! trancha le secrétaire du roi avec véhémence. Sa résolution outrage le bon sens. Vous dites que j'ai tout essayé ? Certes non ! J'aurais dû...

Il secoua la tête et se tut, accablé.

— Maintenant, reprit-il d'un ton rogue, il me reste à convaincre la Reine-Mère de se montrer magnanime ! Tâche facile, me répondrez-vous ! Anne a rendu d'inestimables services à la Couronne tout au long de ces quatre dernières années. Il a des relations influentes au sein du Conseil privé.

Il se saisit d'un tabouret, le plaça près de celui d'Isabelle.

— Tâche ingrate, oui, plutôt ! Sa Majesté est souffrante depuis que la Cour séjourne à Durtal. Nul ne peut l'approcher sans soulever sa colère. Et, il y a, par dessus tout ça, Don Francès, l'ambassadeur d'Espagne dont on a instamment demandé le renvoi à Philippe II à cause de ses basses calomnies, les ambassadeurs de Venise qui ne parlent que du Turc, les Toscans qui ne pensent qu'au mariage de Madame avec le prince de Béarn, la reine de Navarre qui tergiverse...

Il tendit ses mains vers les flammes sautillantes :

— Mais je dois trouver d'abord une abbaye dont le Prieur, de bonne composition, acceptera d'héberger un prisonnier sans poser de questions gênantes.

— Une abbaye ?

— Oui, c'est préférable à une incarcération pure et simple car Anne ne résisterait pas à de mauvais traitements dans son état. Il est très faible malgré les apparences.

— Et si je vous accompagnais à Durtal, l'interrompit Isabelle, vous m'obtiendriez une entrevue avec Sa Majesté et...

— Vous n'y songez pas réellement ?

Le regard surpris de Nicolas de Villeroy s'accrochait au sien.

— J'ai, certes, souvent entendu Sa Majesté déplorer la mauvaise volonté des Guise, Monsieur est irrité par l'ascension fulgurante des Montmorency, c'est encore vrai, mais une entrevue avec la Reine-Mère ? Je ne suis pas Dieu le père, Isabelle, je ne suis, hélas ! qu'un secrétaire consciencieux auquel on donne des lettres à lire et à qui, parfois, on confie une mission de routine. Et l'heure n'a pas sonné pour vous ! Auriez-vous oublié dans quelles déplorables circonstances vous avez abandonné votre charge auprès de la Reine-Mère ?

— Non, soupira-t-elle, la tête basse, mais...

Il l'arrêta d'un geste péremptoire :

— Il n'y a pas de mais, voyez-vous ! Vous êtes une Guise désormais et les Guise sont indésirables en ce moment !

Isabelle se tassa un peu plus sur son tabouret. Elle mesurait l'étendue du gouffre qui séparait Raoul de la politique du roi. Ne lui avait-il pas dit la même chose avant de quitter le Castel ?

Elle se mordit les lèvres. Comment avait-elle pu penser que Raoul serait en mesure de tirer son frère de ce guêpier ? Qu'il lui arrive n'importe quoi et ni elle, ni Raoul, ni les Guise, tant qu'ils se cantonneraient dans cette politique, ne pourraient lever le petit doigt !

— Bien entendu, poursuivit Villeroy, comme pour corriger les effets terrifiants de ses paroles, un conflit ouvert avec l'Espagne affaiblirait trop nettement le parti catholique et l'équilibre primordial serait rompu, ce qui n'est guère du goût de la Reine-Mère. Vous connaissez ses idées ? Si le duc de Guise, le cardinal de Lorraine, le duc d'Aumale et le marquis de Mayenne acceptaient de se comporter une fois dans leur vie en princes français, féaux du roi de France, et qu'ils viennent lui présenter leurs vœux à l'occasion de la Noël, ils seraient bien reçus.

Isabelle haussa les épaules avec philosophie.

— Toute la France sait à quoi s'en tenir sur les Guise, et s'il en était autrement, j'ose espérer que vous ne rapporterez point mes paroles ? Vous désirez sauver Anne autant que moi, ce n'est pas en enfonçant sa famille que vous y parviendriez !

Elle avait redressé le cou et le fixait, cinglante. Villeroy sourit vaguement :

— Ma chère, vous pensez comme un homme d'Etat, déclara-t-il avec solennité. Mais ne pensez pas trop haut, je vous en avertis. La situation est plus grave que vous le croyez.

Comme si elle l'ignorait ! Elle savait même cent fois plus de choses que lui ! Tout se brouillait dans sa tête et il n'en ressortait qu'un souhait, mais ardent : Ah ! Si Raoul, ne serait-ce que lui, pouvait changer sa politique ! Il interviendrait auprès de la Reine-Mère et Anne serait tiré d'affaire.

Elle vogua un instant sur des nuages grandioses, puis, aussi vite qu'elle était née, son exaltation s'évanouit en fumées. Consternée, elle touchait du doigt l'ampleur catastrophique des haines qui déchiraient les hommes et elle faillit éclater en sanglots.

— Il est trop tôt, chuchota-t-elle. Peut-être un jour, qui sait ?

— Oui, que chacun oublie ! dit-il. Consolider la paix si fragile, c'est le seul conseil que je donnerais à votre époux si je le tenais. Le moment est très mal choisi pour crier sa sympathie pour Philippe... La Reine-Mère espère sa chute, le roi le soupçonne d'avoir « aidé » sa sœur, la défunte reine Elisabeth de Valois à mourir !

Si la voix était douce, veillant à ne pas la blesser, Isabelle, l'esprit enfiévré, la ressentait en elle comme les coups de boutoir d'un bélier.

Nicolas de Villeroy se leva, la prit fraternellement par les épaules.

— Je pars demain matin. N'ayez aucune crainte, je n'oublierai pas Anne. Les fils de la toile se dénoueront d'eux-mêmes et une longue convalescence à l'abri des méandres de la politique ne fera point de tort à ce jeune fou ! Quoiqu'il arrive, je reste à votre disposition. Puis-je vous écrire au Castel ?

Incapable de proférer le moindre son, Isabelle se contenta d'incliner la tête. « Qu'il lui écrive ! Elle verrait bien. Ne pas rompre le fil, oui, cela seul comptait désormais... »

Avait-elle tort ? Existait-il une meilleure solution pour tirer Anne de cette ornière ? Savait-on, en fait, à quoi il avait voulu jouer ? S'était-il cru invulnérable ? Avait-il obéi à un pressant besoin d'argent ? Ou bien était-il complètement innocent, victime d'un abominable concours de circonstances ? Comment savoir ?

Isabelle ne pouvait trouver le sommeil. Elle écoutait le souffle régulier de Jeanine et se tournait dans son lit en proie à la plus grande indécision. L'attitude d'Anne l'intriguait davantage maintenant qu'elle y repensait, et dans le dernier regard qu'il lui avait lancé, comme effrayé, elle avait perçu la clé de l'énigme sans parvenir à l'interpréter. Elle lui avait promis de le sortir de cette impasse et qu'avait-il répondu ? Qu'il rejetait toute aide, surtout venant de son frère !

Vers minuit, elle s'endormit enfin avec la désagréable impression de courir au-devant d'un effroyable désastre sans pouvoir conjurer le sort de quelque façon que ce fût...

CHAPITRE XII

Elles avaient quitté quelques heures plus tôt la grand-route plantée d'ormes qui se dépliait comme un long ruban de pavés d'Orléans à Paris. La terre du petit chemin qu'elles foulaient maintenant, était détrempée, les chevaux s'y enfonçaient. Une pluie fine et glaciale leur giflait le visage.

Jeanine se plaignait d'une voix geignarde. Elle se plaignait beaucoup depuis les révélations qu'Isabelle s'était enfin décidée à lui faire, sur Féliciano.

Apollon humait l'air humide et frétillait. A croire qu'il reconnaissait chaque vieille souche grise, l'odeur de l'herbe mouillée, et de la terre elle-même, sa terre natale.

Après Saint-Loup, Apollon se mit à courir, museau au vent, et Isabelle, d'un coup de talon, éperonna sa jument. Elle s'engouffrait comme une trombe dans le petit bois quand un hurlement s'éleva qui la figea sur place, le sang glacé dans ses veines. Sa jument se cabra, apeurée...

C'était un hurlement sauvage qui criait le désespoir, qui montait dans le ciel bas et n'en finissait plus de clamer sa plainte aiguë.

— Les loups, souffla Jeanine en rapprochant sa mule.

Isabelle secoua la tête, à regret.

— Non, pas les loups, pas en cette saison... Apollon !

Et prise d'un horrible pressentiment, elle repartit à toute allure, bousculant les branches dans sa course furieuse, sautant des buissons d'orties épineuses au risque de blesser Aster.

Elle dépassa deux hommes qui, courbés, ramassaient du bois pour les fagots. Elle eut le temps de reconnaître le vieil Auguste qui se redressa, une main sur sa hanche malade, et secoua la tête.

— Le malheur, madame la comtesse, le malheur sur le Castel, entendit Isabelle.

Jetés dans le vent, les mots s'éparpillèrent, heurtèrent violemment ses oreilles. Elle sauta de cheval.

« Le malheur... » Apollon avait fini par se taire. Isabelle s'était immobilisée, pétrifiée. Un voile rouge brûla ses yeux et elle eut chaud brusquement. Elle ouvrit la bouche comme un poisson privé d'eau. Derrière elle, Jeanine qui arrivait, jeta un cri.

— Mon Dieu ! Madame... Qu'est-ce que... qu'est-ce qui s'est passé ici ?

Isabelle ne répondit pas. L'aurait-elle pu ? Elle regardait fixement devant elle et ce qu'elle voyait, détaché sur le gris du ciel et le noir des arbres morts, comme une vision d'enfer, la paralysait d'épouvante et de douleur.

— Pas ça, articula-t-elle, d'une curieuse voix étranglée... Non ! Pas ça !

Et, raide, comme avait dû l'être la femme de Loth fuyant Sodome en flammes, elle s'avança, d'un pas d'automate parmi les ruines de ce qui avait été le Castel-Roy...

Qu'en restait-il ? Le cœur déchiré, Isabelle apercevait des pans de murs noircis, un amoncellement de cendres répandues sur les décombres comme un manteau de désolation, et, par-dessus ce charnier immobile, la pluie, qui n'arrêtait pas de tomber.

— Non ! Pas ça ! répéta Isabelle.

Farouche, elle se raccrochait encore à l'espoir

insensé de rêver. Mais, elle devait se rendre à l'évidence : ce n'était pas un effroyable cauchemar.

Elle franchit le grand portail demeuré debout par miracle et se retrouva dans la cour. Tout était calme, monstrueusement calme comme la mort. Le silence régnait en maître absolu. Çà et là, elle enjamba des poutres à demi rongées par les flammes, des cadavres de poules et de pigeons calcinés.

La grange à blé, le grenier avaient disparu, ainsi que l'appentis, et l'étable dont il ne subsistait que la porte arrachée de ses gonds. Et derrière le squelette du logis seigneurial, désert, inerte, forêt de pierres sombres, les poiriers tordus sous l'étreinte des flammes, les pommiers rabougris, le verger criait ses souffrances.

Le feu semblait s'être rassasié d'avoir dévoré tant de bois. Il s'était arrêté juste en lisière des châtaigniers qui demeuraient, sentinelles de tous ces morts...

Une porte claqua sous la poussée du vent. Le reste de ce qui avait été un toit s'effondra dans un fracas de fin du monde. Isabelle tressaillit, ses jambes ployèrent et elle se retrouva face contre terre, les genoux dans la boue et la cendre, prenant péniblement appui sur ses mains crispées. Un bourdonnement envahit ses oreilles.

— Il n'y a plus rien, murmura-t-elle... Plus rien !

— Regardez, madame ! Une fumée s'échappe de la ferme ! Elle n'a pas brûlé ! Il y a toujours les Michaud !

Comme une folle, Isabelle bouscula Jeanine et se mit à courir...

— Doux Jésus ! Notre dame !

Isabelle venait d'ouvrir grande la porte et Mme Michaud qui était en train de tourner sa soupe, se leva, interdite, laissant tomber sa grande louche de bois. Un éclair de joie traversa le regard de la fermière, puis elle fondit en larmes, se couvrant le visage avec un coin de son tablier...

— Madame, balbutia-t-elle, devançant la question

d'Isabelle. Comment cette femme a-t-elle pu faire une chose pareille ?

Isabelle sentit son cœur bondir comme une corde trop longtemps tendue :

— Cette femme ? Quelle femme ?

— Votre belle-mère, déclara derrière elle la voix placide d'Adrian Bonneval. C'est elle apparemment, qui a mis le feu au Castel après avoir administré un poison mortel à maître Grelier.

Isabelle fit volte-face, le visage dur.

Elle serrait les dents pour ne pas hurler comme Apollon un peu plus tôt, quand il avait découvert les ruines.

— Ma belle-mère..., murmura-t-elle.

Adrian Bonneval hocha la tête. Il se tenait sur le seuil, Michaud, l'air soucieux, à ses côtés. Son visage était blême.

— Nous rentrons de Provins, ajouta-t-il en s'avançant vers la jeune femme. Le bailli veut ouvrir une enquête sur la mort de Grelier.

Isabelle ne l'écoutait plus. Tout ce qu'elle avait compris, c'était qu'Anne-Louise avait gagné son pari, qu'une dernière fois, elle les avait joués ! Que lui importait dès lors la mort du notaire ! Ils avaient tout perdu ! Ils étaient ruinés !

— Où est-elle ? lança-t-elle, les yeux étincelants. Où se cache cette vipère ? Dites-le moi, Bonneval ! Je veux l'étrangler, vous entendez, je veux...

Sa voix se brisa lamentablement. Epuisée, écœurée, elle retint un sanglot et jeta les bras en avant. Adrian Bonneval la soutint.

— Restez calme, adjura-t-il d'une voix étouffée. La comtesse est probablement morte dans l'incendie qu'elle a allumé. Nulle part, ni Michaud ni moi-même n'avons retrouvé sa trace...

Isabelle releva la tête et fixa Bonneval avec un étrange sourire.

— Morte, articula-t-elle. Et, basculant en arrière, elle perdit connaissance.

Dame Michaud venait de lui tendre un gobelet de poiré et, sans réfléchir, elle en avala le contenu d'un coup sec. Elle se sentit aussitôt envahie par une bienfaisante chaleur, elle gratifia Adrian Bonneval, assis à califourchon sur la huche à pain poussée tout contre le lit où elle était encore allongée après son malaise, d'un coup d'œil incisif :

— Je ne la crois pas morte ! trancha-t-elle, catégoriquement. Il faudrait que je voie son cadavre pour y croire !

— Oh ! Pour sûr qu'elle n'est point morte ! décréta aussitôt Jeanine, entre deux sanglots... Cette femme-là, madame, est une diablesse.

— Femme, voyons ! cria Michaud, tout pâle, c'est pas des fables à clabauder ! Et il se signa, imité par toute l'assemblée.

Une main se posa sur celle d'Isabelle.

— Elle est bien morte, assura la voix pondérée d'Adrian Bonneval...

Isabelle ferma subitement les yeux puis les rouvrit, très vite, sur les paysans et les domestiques qui l'entouraient, suspendus à ses lèvres. Toute la famille était là, et également Marion, fille des cuisines, et Lisette, la souillon du Castel, qui avait échappé par miracle à l'incendie. Seul, le palefrenier était mort ; il n'avait pas eu le temps de sortir de l'étable où il dormait.

Le feu ronflait et Jeannot, les épaules affaissées, faisait mine d'apprêter les courroies usées de son fléau.

On aurait pu imaginer qu'il s'agissait là d'une veillée comme tant d'autres, de ces longues soirées hivernales au cours desquelles les vieux joutent avec les histoires des temps anciens pour faire s'écarquiller les yeux des petits.

— Ils sont tous venus, lui glissa Bonneval, comme s'il avait eu le don de lire dans ses pensées... Ils sont venus pour vous. Le chien d'abord les a alertés, puis Michaud est allé les chercher.

Cette voix amicale, le ronronnement apaisant du feu, les senteurs douceâtres de la soupe au lard... Isabelle serra ses mains l'une contre l'autre, les larmes aux yeux.

— Comment est-ce arrivé ? s'enquit-elle en regardant Michaud.

Depuis le coin de la table où il ruminait de sombres pensées, le fermier étouffa un juron.

— Un malheur, fulmina-t-il, le visage empourpré, qu'elle a drôlement bien manigancé, la comtesse Anne-Louise ! Cette nuit-là, il y a trois jours, nous étions tous à Jouy. Notre oncle venait de mourir et on le veillait tous ensemble. Il ne restait ici que les petits et l'aïeule...

Isabelle blêmit. Anne-Louise avait parfaitement calculé l'heure et le jour de son forfait ! Et c'était de sang-froid qu'elle avait mis le feu au Castel !

— Quand on est rentré, vers minuit, poursuivit Michaud d'une voix sourde, on a fait tout ce qu'on a pu mais...

Il souleva ses lourdes épaules, écarta les bras :

— Les murs, ça se reconstruit ! Les bêtes ça s'achète ! Les blés ça se sème chaque année et ça donne du pain pour tous ! Vous verrez, madame, l'an prochain...

— Oui, Michaud, l'an prochain...

Le visage plongé dans ses mains, accablée, Isabelle méditait sur les paroles du fermier. L'an prochain ? Mais avant ? Comment vivre avant ? L'hiver se préparait, froid, pluvieux et, terrassée par le désespoir, Isabelle découvrait soudain qu'elle n'avait plus de toit. Nulle part où aller. Vivre là, chez les Michaud ? Ils étaient déjà suffisamment à l'étroit !

Les yeux fixes, la bouche amère, elle les dévisagea tour à tour, depuis Jeanine, anéantie, jusqu'à Bonneval près d'elle qui guettait ses réactions. Que faire ? Qu'envisager quand il n'y a plus rien, ni espoir, ni possibilités ? Elle ne s'était jamais sentie aussi démunie, seule, sans bras pour la réconforter, sans homme à ses côtés pour lui dicter sa conduite. Le jour où son père était mort, oui, même ce jour-là, le plus douloureux qu'elle ait vécu, elle avait eu son parrain. Et maintenant, où était-il ? Où était Raoul ?

— Qu'allez-vous faire ? s'informa Bonneval d'un ton plein d'inquiétude.

Elle poussa un profond soupir désabusé.

— Je l'ignore... Sans doute me réfugier en Vendômois, près de ma cousine, car à Joinville ? Non, vraiment, je ne m'y sentirais point à l'aise...

— Vous quitteriez le Castel ?

Ce ton chargé de reproches la frappa de plein fouet. La rage au cœur, elle se leva d'un bond, serrant contre sa poitrine les pans fripés de sa cape.

— Il n'y a plus de Castel, Bonneval ! Vous le savez aussi bien que moi !

Et avant qu'il ait eu le loisir de répliquer, elle s'était brusquement rabattue sur la porte, la laissant battante derrière elle...

∴

Ce ne fut que lorsqu'elle se retrouva seule dans la froidure du jour qui tombait, qu'elle mesura sa stupidité et la puérilité de son geste. Que devaient-ils penser d'elle ?

Calmée, elle put reconsidérer la situation, froidement. Que lui restait-il ? Eh bien, pour commencer, elle avait des idées plein la tête, et sa dot, que l'intervention de Bonneval avait gardée intacte. Elle survivrait. Elle n'avait pas à se tracasser pour les semailles, Michaud s'en occuperait comme chaque printemps, en attendant des jours meilleurs...

« Des jours meilleurs. » Un frisson la parcourut. En vivrait-elle jamais ? Depuis son mariage, il semblait que le sort s'acharnât à sa perte, que toutes les légions de l'enfer se soient levées contre elle, associées pour son malheur...

Combien de temps mettraient de jeunes poiriers pour donner une grasse récolte ? Elle estima à peu près cinq ans, peut-être moins... Ce n'était point sur eux qu'il fallait compter dans l'immédiat... Les replanter oui, mais ensuite ?

Elle tourna le dos aux ruines comme elle aurait voulu pouvoir le faire avec la réalité. Elle réentendait, étonnamment claire, la voix métallique d'Anne-Louise, le dernier soir. Elle la revoyait se tournant lentement vers elle, son beau visage convulsé de fureur... « Non ! Jamais vous n'aurez le Castel ! ricanait-elle. Cette terre m'appartient ! » Oh ! Elle savait ce qu'elle disait ! Isabelle devinait sans difficulté ce que la perfidie de cette démente avait dû lui suggérer. Comme elle avait vu juste ! Avait-elle pressenti la réaction de sa belle-fille ? Avait-elle su, avant de mettre son funeste projet à exécution, que même le Castel reconstruit, Isabelle mettrait des années à oublier le son de sa voix et ses menaces ? Qu'avant longtemps elle ne pourrait y vivre en paix, goûter un bonheur véritable sur ses terres dévastées ?

Si oui, avec quelle joie avait-elle dû se précipiter au cœur du brasier, sachant bien que, morte, elle était deux fois plus forte, qu'elle empoisonnerait des années durant le sommeil d'Isabelle ! Elle devait être morte dans un dernier éclat de rire, sans regrets !

Isabelle se boucha subitement les oreilles. Ce rire, elle l'entendait, vibrant, la poursuivant comme une ombre attachée à ses pas... Un sanglot lui broya la poitrine et, pliée en deux, elle s'effondra, à genoux dans la terre pour la seconde fois.

— Relevez-vous ! cria Adrian Bonneval dans son dos... Ce n'est point avec des larmes que vous reconstruirez le Castel !

— Je ne veux pas le reconstruire, jamais !

Adrian Bonneval réprima un juron. Elle n'avait pas bougé, se contentant de lâcher ces mots d'une voix haletante, pitoyable en vérité, avec ses longs cheveux devant ses yeux...

— Relevez-vous ! répéta-t-il, et se baissant, à la force du poignet —, un poignet rudement vigoureux pour un homme de sa complexion —, il la releva, la saisit par les épaules, furieux, la secoua.

— Vous abandonneriez ? gronda-t-il... Vous capituleriez ? Ne comprenez-vous pas que c'est ça, justement, qu'elle cherchait. Vous voir abattue, sans volonté ni force, brisée par le chagrin et la malédiction, incapable de prendre les décisions qui s'imposent ? Allez-vous lui laisser la victoire ?

Il criait presque. Il ne savait pas pourquoi, tout à coup, il ressentait l'envie de la détruire. Il la secouait et Isabelle ne bronchait pas, inerte, comme si sa voix ne lui parvenait pas, comme si elle avait atteint un autre monde, le monde de l'indifférence. Le visage renversé, elle le contemplait de ses grands yeux tristes et dans ce regard soudé au sien, il lisait l'inutilité de sa démarche. Il laissa retomber ses bras avec lenteur, l'observant de biais. Les narines pincées, les yeux durs, elle semblait une morte.

— Pardonnez-moi, murmura Bonneval... Je ne sais ce qui m'a pris... Mais vous voir ainsi, madame ! C'était au-dessus de mes forces, je n'ai pu me taire, il fallait que...

— Ne vous accusez pas, coupa-t-elle. Vous avez parfaitement raison. J'ai perdu la tête... C'est indigne de la comtesse de Villeron, n'est-ce pas ?

Elle ricana, le menton tendu vers lui, les prunelles éteintes :

— Elle gagne, en effet... Car je n'ai plus de force...

Ses yeux s'embuèrent et elle secoua rageusement la tête, le front barré d'un pli :

— Je suis seule. Que pourrais-je faire seule ? Dites-le moi !

— Vous battre ! jeta Bonneval d'un ton impératif.

Et, se penchant, il cueillit une poignée de terre humide et grasse, la soupesa pensivement.

— Vous battre pour cette terre... Elle vit, elle ne déclarera jamais forfait ! Que désirez-vous de plus ? La comtesse Anne-Louise est morte et n'a pu emporter avec elle que des vieux murs pourris. La terre vous reste !

Sa voix claquait comme un drapeau dans le vent et Isabelle, sidérée, touchée par la justesse de son point de vue, ne pouvait détacher ses yeux de la terre molle qu'il pétrissait à pleins doigts. Elle était tentée de suivre son jugement. Elle-même n'en avait-elle point émis un semblable ? Mais elle était lasse, tellement lasse, solitaire, dégoûtée, et l'épaule masculine dont elle avait besoin, l'épaule contre laquelle elle aurait voulu se laisser aller pour alléger sa peine, cette épaule était si loin !

Eperdue, déconcertée, elle se tordait les mains.

— Si je pouvais vous croire... Oh ! Si je pouvais !

— Croyez-moi ! Je suis là, je ne vous quitterai pas ! Je vous conseillerai. Ayez confiance, madame. Rien n'est jamais perdu.

Il s'était rapproché d'elle à la frôler. Isabelle détourna vivement la tête. Ces mots presque d'amour, ces mots d'amitié, Raoul n'était pas là pour les prononcer ! Que n'était-il là pour l'entourer de ses bras, la réchauffer de sa chaleur. Mais il n'y avait qu'Adrian Bonneval, son ami désormais, qui lui avait suffisamment prouvé son dévouement.

Elle respira fortement pour tâcher de retrouver sa maîtrise. Les mots et les images qu'il suggérait entraient en elle, bousculant sa souffrance, s'installaient, creusant leur nid, évoquant une immensité de champs de blés courbés sous le soleil de juillet, ployant de toute leur opulence blonde et craquante... Le cœur d'Isabelle se remit à battre, lui sembla-t-il...

⁂

Ils parlèrent toute la nuit sans discontinuer. Peu à peu, les choses, les êtres, reprenaient leur place habituelle dans l'esprit d'Isabelle et elle se sentait mieux. Adrian avait le don d'apaiser le moindre de ses doutes. Le visage transfiguré, comme toujours lorsqu'il parlait affaires, il lui démontra, point par point, que rien n'était perdu et elle buvait religieusement ses paroles. Pourquoi donner prise au désespoir ? disait-il... Il y avait la terre, les vignes, les bois, quelques arpents du côté de Troyes, qu'il irait visiter dès que possible, etc.

— Votre dot m'a été transmise par le truchement de maître Morel, de Vendôme, confirma-t-il... Votre trousseau est enfin arrivé et je me suis permis de l'entreposer chez moi, en attendant votre retour.

Et, comme elle haussait les sourcils, étonnée, il ajouta :

— Ah ! Oui, où avais-je la tête ? Maître Grelier m'avait couché sur son testament. Il n'avait ni épouse, ni héritier, ni famille. Il me lègue ses biens, entre autres l'hôtel du Châtel, deux maisons dans la ville basse, des meublés à Paris et des parts de plusieurs compagnies maritimes.

Sa voix était naturelle, mais il considérait férocement son gobelet dans lequel se reflétaient les flammes, le serrant tellement que ses jointures étaient blanches. Les mâchoires crispées, il évitait soigneusement le regard d'Isabelle, et elle n'osait l'interrompre, respectant ce qui était peut-être un retour de conscience, quelque chose comme un obscur remords.

— Quant à votre époux, madame, affirma-t-il soudain, d'une voix changée, il m'a été impossible de le joindre. Ni à Joinville, ni à Troyes où je me suis rendu après que l'on m'eut appris que le duc de Guise y séjournait avec sa maison...

« Ni à Joinville ni à Troyes... »

Isabelle sursauta violemment parce que ses plus sombres doutes, ceux qui n'avaient cessé de la hanter depuis le départ de Raoul, se voyaient brutalement confirmés. Ni à Joinville ni à Troyes, mais ailleurs... Dieu sait où l'avait envoyé le duc de Guise ! A Paris ? Il le lui avait plus ou moins laissé entendre. Mais Paris était immense et il ne devait certes pas s'y promener en toute innocence puisque le duc n'avait pas daigné en informer son messager à elle !

Où, comment le joindre, l'avertir ?

Une incommensurable détresse fondit sur Isabelle comme le poids de cent années de vie. Voilà, elle était bel et bien seule ! Si le moindre petit espoir de voir arriver Raoul avait subsisté, il s'envolait avec ces dernières informations.

Ecœurée, elle esquissa un pauvre sourire plein d'héroïsme :

— Eh bien, défendons nos intérêts par nos propres moyens ! Qu'avez-vous envisagé pour l'immédiat, mon ami ?

D'un ton sentencieux de juriste, il lui déclara qu'il avait entrevu, pour elle, une visite au bailli de Provins, messire Olivier de Soissons. L'enquête sur la mort de maître Grelier devait être interrompue sans tarder.

— Notre nouveau bailli est noble, bourguignon et incontestablement de confession catholique. Sans doute l'ignorez-vous, mais maître Grelier était huguenot. Il avait souvent participé à ces réunions plus ou moins interdites qui enflammèrent le pays il y a quelques années. Il s'y était fait remarquer. Il était fort mal considéré par les notables de la ville. Allez donc de votre propre initiative offrir votre aide au bailli, il vous en saura gré. Dévoilez-lui ce que nul n'ignore dans les milieux bien informés : que la comtesse a perdu la tête et qu'elle a tué son amant. Votre déclaration, jointe à la réputation du comte de Villeron devrait faire honorable impression sur messire de Soissons. Il est, paraît-il, fort attaché aux vieilles traditions. Pourquoi dès lors remuerait-il ciel et terre puisque aussi bien la coupable s'est fait justice ?

Satisfait de sa propre logique, il se tut, son regard quêtant le reflet d'une approbation muette dans celui d'Isabelle. Mais, paupières pensivement baissées, elle ne pouvait se résoudre à cette idée.

— Déballer toute cette boue devant un étranger, est-ce bien nécessaire ?

Sa poitrine se soulevait avec force. Elle s'imaginait mal pleurnichant près du bailli, quel qu'il soit !

— Préférez-vous voir le royaume entier s'emparer de cette horrible farce ? Préférez-vous jeter cette turpitude en pâture aux ennemis de votre famille et, je pense qu'ils sont légions ? Que les huguenots aient vent de ce crime et ils en appelleront à l'amiral de Coligny, traîneront les Villeron sur le banc des accusés ! Il n'en faudrait pas lourd pour camoufler un drame passionnel en crime politique, pour inventer je ne sais quelles qualités, quelles relations à feu maître Grelier !

Il avait raison ! L'heure n'était pas aux tergiversations ! Pénible ou pas, elle accomplirait cette démarche, elle sauverait l'honneur de la famille !

Cependant, dents serrées, nuque douloureuse, elle sentait monter du plus profond d'elle-même un vent de révolte. Morte, Anne-Louise trouvait encore le moyen diabolique de la démoraliser, d'agiter devant elle le spectre affreux du scandale !

***

Au risque de se rompre le cou, Jeanine, penchée par la fenêtre, guettait fébrilement le retour d'Isabelle. A ses pieds, sous les colombages gracieux de la maison, se trouvait une petite cour, encombrée par une charrette et trois grosses malles de cuir que deux valets transportaient sur leur dos. Adrian Bonneval supervisait ce déménagement.

Soudain, un cheval au galop franchit la porte ouverte et freina des quatre fers devant Bonneval. Isabelle le montait. Jeanine poussa un grand cri et sauta à pieds joints de son escabeau. Quatre à quatre, dans une envolée de jupons, elle dégringola l'escalier jusqu'à la cour et, cramoisie, essoufflée, se précipita vers Isabelle, lui écrasant un pied dans sa hâte maladroite.

Isabelle poussa un cri de douleur et se retint de

justesse au bras de Bonneval. Elle venait de remettre les rênes de sa jument à l'un des valets.

— Pour l'amour du ciel, Jeanine !

Ses jolies mains gantées de velours gris tremblaient un peu et le visage qu'elle présenta à sa chambrière catastrophée était décomposé...

Jeanine, verte de honte, plongea son nez dans son corsage :

— C'est que j'étais tellement inquiète, madame !

Elle ne s'excusait même pas et Isabelle ne songeait pas à l'en prier ! Depuis quelques jours, le monde tournait à l'envers. Aussi elle entoura Jeanine d'un bras protecteur, lui pardonnant facilement son impulsivité.

— Ne pleure pas, petite sotte ! C'est un beau jour que celui-ci ! Rien ne doit le gâcher !

Bonneval s'interposa.

— Le présidial n'interviendra pas ? En êtes-vous sûre ?

Il ne paraissait guère croire en cet heureux dénouement bien qu'il fût pour beaucoup dans la démarche d'Isabelle.

Elle lui sourit avec gratitude. Ce singulier Adrian Bonneval ! Tout en contrastes... Par moments, il redevenait le petit clerc affolé de leur première rencontre, à d'autres, il étonnait par l'intense foisonnement de ses idées.

— Non ! dit-elle d'une voix joyeuse. Messire de Soissons m'a donné sa parole. Il n'y aura pas d'enquête. L'honneur est sauf ! Oh ! Mon cher Adrian, je suis tellement soulagée !

— Pour Dieu ! Madame la comtesse ! Alors on va pouvoir rester là ? Personne ne va nous créer d'ennuis ?

Les mains potelées de Jeanine remontèrent lentement vers ses joues rebondies. Isabelle, les yeux embués, serra vivement la jeune fille contre elle :

— Bien sûr que non ! Qu'avais-tu imaginé ?

Puis, elle la repoussa et Jeanine prit ses jambes à son cou.

— Une brave fille, constata Adrian Bonneval.

— Oui, elle est gentille. Mais, voilà que j'oubliais de vous remercier pour tout ceci !

Elle étendit les bras, embrassant la cour pavée, brillante comme un écu neuf et la demeure, pierres blanches et pans de bois, qui leur souriait de toutes ses fenêtres pimpantes.

L'ancien clerc rougit comme un collégien.

— Ce n'est vraiment pas grand-chose, reconnut-il avec sa modestie coutumière. Il reste encore bien des travaux à entreprendre pour rendre cette maison digne de vous...

L'œil en coin, il la scrutait avec inquiétude. Il la sentait à bout de nerfs, prête à craquer.

— Si j'osais, dit-il, je vous inviterais à entrer à l'intérieur. Nous parlerions plus posément de messire de Soissons et du présidial ?

Isabelle inclina la tête.

— C'est cela, nous bavarderons devant une coupe de marasquin. Il m'en a été livré un tonnelet hier et quelque chose me souffle que vous n'y êtes point étranger ?

Elle le considérait avec malice.

— Le profit de mon héritage qui montre le bout de son nez, se défendit-il avec une véhémence comique. J'espère que ce geste ne vous a point désobligée ?

— Certes non ! Mon cher Adrian... Mais vraiment, vous me gâtez trop !...

Et, rieuse, elle l'entraîna...

∴

Adrian Bonneval s'en était retourné au Châtel, dans le bel hôtel de feu maître Grelier, le sien désormais. La nuit venait, posant sur toutes choses son empreinte magique, douceur, ombres et sérénité. Le quartier était calme et Isabelle y prenait déjà goût. Seule dans la salle basse de sa nouvelle demeure, dégustant avec gourmandise une dernière coupe de marasquin, elle repassait dans sa tête les derniers jours qu'elle venait de vivre, et qui s'étaient succédé à une allure vertigineuse.

Dès le lendemain de son retour, Adrian Bonneval lui avait spontanément offert l'hospitalité. Devant son intention de remettre en état, pour son usage, la maison de la rue du Murot que feu maître Grelier avait délaissé en faveur du Châtel cinq ans auparavant, elle s'était récriée. « Non, non, c'était beaucoup trop de générosité, elle n'accepterait jamais ! » Mais il avait insisté, avec d'irrésistibles arguments !

— Je ne vous propose point le Châtel, avait-il précisé, car je suppose qu'il ne vous serait guère plaisant d'y habiter ? Mais la maison de la rue du Murot est agréable, quoique plus petite. Le quartier est tranquille, et nul ne verra d'inconvénient à ce que je vous héberge. Ne suis-je pas votre nouvel intendant ?

Isabelle était profondément surprise et plus qu'agréablement touchée. Il ne souriait pas, anxieux, attendant son verdict. Et il était devenu, brusquement, bien plus qu'un simple associé, qu'un guide : un ami. Il y avait déjà tant de secrets entre eux, tant de projets, de pensées communes ! Pourquoi ne pas sauter sur l'occasion qu'il lui offrait si sincèrement ? Elle n'était pas en état, loin de là, de jouer les difficiles ! C'était d'un toit qu'elle avait besoin et la maison de la rue du Murot paraissait plus que confortable... Un paradis.

En une semaine, les maçons et les charpentiers avaient accompli des prodiges. Un tapissier avait été chargé de poser des tentures pour adoucir la rigueur des murs et des tapis complétaient le décor, des merveilles qu'Adrian Bonneval avait découvertes par hasard, dans le garde-meuble de feu maître Grelier.

C'est alors que la veille, messire de Soissons, pour la seconde fois, l'avait faite mander. Avec quelle impatience et quelle angoisse s'était-elle précipitée chez le bailli ! L'affaire ne se présentait pas mal, Olivier de Soissons le lui avait laissé entendre lors de leur première entrevue : il aiderait les Villeron autant qu'il serait en son pouvoir mais il n'avait pas les coudées franches. Ces messieurs du présidial et de la ville s'agitaient depuis la disparition du notaire. Maître Grelier, s'il n'était pas bien vu, possédait un beau capital. Maintes fois, Provins lui avait emprunté de l'argent lors des disettes et des inondations. Maintenant qu'il était mort dans de mystérieuses circonstances, les échevins s'inquiétaient. Ils étaient venus voir le bailli, en délégation... On ne laissait jamais partir le cœur léger un allié de ce poids, surtout l'année même où le roi levait un impôt supplémentaire !

Messire de Soissons avait promis d'apaiser les esprits, d'étouffer les rumeurs malveillantes et c'était à présent chose faite, Isabelle respirait ! Il faut ajouter que la promesse d'Adrian Bonneval, qui s'engageait à aider la ville de ses propres deniers, avait joué un grand rôle dans la sage décision des notables !

Isabelle sourit, songeuse. Elle ne regrettait pas ses deux visites au bailli de Soissons. La dame de Soissons était charmante et, les distractions manquant en province, elle s'était empressée, croisant Isabelle dans une antichambre, de la prier d'honorer de sa présence son cercle d'amies. Tout en n'appréciant que de très loin ces causeries interminables au cours desquelles les dames de bonne volonté votent un projet de quête pour telle ou telle église, Isabelle prévoyait de se rendre souvent aux invitations de madame de Soissons. Elle s'attendait à y rencontrer les plus beaux fleurons de la noblesse briarde et compléter de cette façon son éducation sur sa nouvelle province.

— Madame, devinez ?

Jeanine accourait, un pli à la main. Apollon, la démarche olympienne, l'œil vif, la précédait.

Isabelle tressaillit :

— Le comte ? s'enquit-elle, débordante d'espoir.

Jeanine fronça son petit nez :

— Non, madame... un valet en livrée vient de l'apporter... une invitation sans doute ?

Isabelle, pour ne pas décevoir sa curiosité, décacheta le pli, le parcourut d'un œil maussade :

— Oui, c'est cela, conclut-elle... Monsieur et madame de Nogaret me convient à un souper en leur château de Fontenay-Présigny, ce mardi... Je n'irai pas ! Cette personne est beaucoup trop orgueilleuse pour mon goût ! Tiens, je suis persuadée qu'elle m'a invitée dans le seul but de se moquer de ma garde-robe avec ses chères amies !

Rageuse, elle froissa le billet.

— Madame la comtesse, je vous répète que vous devez y aller ! Cela vous changerait les idées, grogna Jeanine pour la dixième fois au moins.

Isabelle se brossait les cheveux à grands coups. Elle avait fort mal dormi et se levait d'une humeur noire.

— Tais-toi, sotte, tu me donnes mal à la tête avec tes sermons stupides ! Je n'irai pas me pavaner chez les Nogaret, un point c'est tout !

— Je ne sais pas si tu te rends bien compte, poursuivit Isabelle, mais nous sommes dans une situation critique ! Le comte est absent et lui seul serait en droit de...

— Madame la comtesse, parlons-en de monsieur le comte ! Il n'est jamais là ! Depuis la saint Rémi, vous n'avez pas reçu un seul mot, rien !

— Impertinente ! Qui te permet de parler ainsi de ton maître ?

Rouge de colère, Isabelle lança sa brosse d'écaille en direction de Jeanine qui n'eut que le temps de se baisser. Avec un bruit fracassant, la brosse alla choir juste sous le museau d'Apollon qui poussa un grognement de réprobation puis, paisiblement, changea de place.

Face à son miroir, Isabelle luttait contre la crise de nerfs qui s'annonçait.

— L'insolente ! Voilà qu'elle se croit tout permis !

Et, le pire, c'est qu'elle a raison, parfaitement,

odieusement raison. Raoul se souciait-il d'elle ? Non !

Un sanglot l'étrangla. Elle se mordit les lèvres, refoulant la crise de larmes... A quoi bon pleurer !

Elle avait fait son devoir et adressé une longue épître détaillée à la duchesse Antoinette. La réponse n'avait pas tardé. Sur sa cassette personnelle, la vieille duchesse avait prélevé 500 écus : une somme fabuleuse ! Dans le même temps, son messager avait remis à Isabelle un coffre contenant des trésors : des robes, des lingeries, des fourrures, des parfums...

« Je suis persuadée que ces babioles vous enchanteront, ma chère enfant... » écrivait la duchesse d'une plume alerte.

Mais pas la moindre allusion à Raoul. Rien, et ce silence, peut-être involontaire avait lourdement pesé sur les épaules d'Isabelle. Comment la duchesse de Guise pouvait-elle subitement se désintéresser d'un petit-fils qu'elle affectionnait tout particulièrement ?

Apollon poussa un profond soupir. Isabelle, arrachée à la cohorte de ses pensées, baissa les yeux vers le grand dogue. Assis sur le carreau de la cheminée, dans une posture royale, la tête bien droite, les oreilles aux aguets, avec les flammes sautillantes du feu qui se noyaient dans ses prunelles, il avait l'air soudain d'une bête infernale ou mythologique, un démon grimaçant et Isabelle, tout en se gourmandant, réprima un frisson. N'était-elle pas ridicule de prêter vie à de telles superstitions ? Que pouvait-elle craindre des esprits maléfiques acharnés à sa perte, si tant est que, puisant dans ses souvenirs d'enfance et les histoires épouvantables que lui racontait sa nourrice, elle pût encore croire à leur existence ?

Tout s'arrangeait. Adrian Bonneval allait venir, d'un jour à l'autre lui soumettre un plan qui lui tenait à cœur : le rachat en son nom, mais sous le couvert pour elle, de plusieurs parts de la Compagnie des mers de Bône. D'après ses calculs, c'était un moyen absolument sans faille de gagner rapidement le quadruple ou le quintuple de la mise de fonds... et la mise de fonds, Adrian la lui avançait !

Isabelle se laissait tenter. Elle avait tant besoin de vibrer, de vivre pour quelque chose de tangible, qu'elle tiendrait dans ses mains et dont elle pourrait dire avec orgueil : mon œuvre... Elle désirait spéculer autant que possible, avec Bonneval pour prête-nom, et un matin, se réveiller riche, délivrée de ses soucis !

Un sourire hésitant lui échappa et ce fut d'un œil neuf qu'elle contempla l'harmonie parfaite de sa chambre : une douce quiétude bourgeoise, un opulent confort, tout en teintes fragiles.

Jamais Isabelle n'avait eu le privilège d'évoluer parmi tant de beautés réunies, à part lors de son court séjour au service de la Reine-Mère. Elle n'en était pas plus heureuse pour autant ! Seule dans son trop vaste lit, elle se prenait à rêver parfois aux murs misérables du Castel-Roy. Elle y avait souffert, mais les heures d'amour qu'elle y avait connues, encore éblouissantes dans sa mémoire, effaçaient facilement l'horreur qui leur avait succédé. Avec le recul, la solitude aidant, rien ne lui semblait plus beau que la gentilhommière disparue...

L'hiver s'installait en maître et sa vie s'annonçait d'une accablante monotonie. Peu de joies véritables en perspective ! Elle broderait, au coin du feu, comme une vieille épouse depuis longtemps délaissée, elle guetterait le messager de Raoul et les mois s'écouleraient... Une existence trop bien réglée ! Les jours de pluie, elle admirerait une fois de plus son trousseau, glisserait des sachets d'herbes odorantes entre les piles de draps...

— Non ! Non ! Autant s'enterrer vivante !

Une brusque révolte s'empara d'Isabelle. Elle enfila ses bottes, attrapa sa toque d'une main, de l'autre ses gants et siffla Apollon :

— Debout, paresseux, nous allons à la ferme !

CHAPITRE XIII

Les Michaud l'accueillirent à bras ouverts, mille questions sur les lèvres et elle n'eut point assez de toute la journée pour les satisfaire. On parla du petit Etienne, le cadet des fils, un enfant de treize ans, qu'Isabelle avait engagé comme valet. Il s'acclimatait bien à la vie citadine ; très déluré, l'esprit vif, alerte, il comprenait tout sur-le-champ.

— La prochaine fois, il m'accompagnera ! leur promit Isabelle en prenant congé, au crépuscule.

Mais elle n'était pas pressée de rentrer. Entre chien et loup, il faisait bon se promener au pas lent d'une sage monture qui prenait autant de plaisir que sa cavalière à cette flânerie solitaire. Apollon marchait devant, soulevant un nuage de buée, ouvrant la route et ne se trompant jamais.

Un peu avant Mortery, Isabelle s'arrêta au pied d'un chêne séculaire. L'air était glacial. Il piquait et brûlait tout à la fois et, emmitouflée jusqu'aux yeux dans son manteau doublé d'hermine, elle se sentait étonnamment bien, libérée, légère comme une plume, se moquant des morsures du froid. Elle s'assit sur les racines noueuses du vieil arbre. Pas un signe de vie alentour. Tout à côté un petit champ inculte où foisonnaient les orties folles.

La nuit se rapprochait à pas de loup et Isabelle se

remémorait les nuits ensorcelantes des bords du Loir, quand, avec son parrain, elle allait en cachette, vers minuit, voir se lever la lune.

Isabelle soupira. Ici, il n'y avait pas d'étangs, point d'Ondines, mais il y avait des chênes... Regrettait-elle ces temps bénis ? Regrette-t-on l'enfance, cet état de grâce qui vous porte sur les ailes du vent à la découverte du monde, côtoyant les dieux et les déesses, conversant familièrement avec les animaux, les arbres et les plantes ? Il y avait un temps pour tout ! Et elle aimait à se répéter cet axiome plein de philosophie, quand l'amertume l'attaquait sournoisement... Il y avait un temps pour toutes choses sous les cieux... Viendrait celui de la joie !

Elle serait restée là des heures peut-être, à rêver, à s'emplir le cœur d'espérance si sa jument ne s'était brusquement cabrée et si, en écho, le martèlement des sabots d'un cheval n'avait rompu le silence.

Elle se leva précipitamment, intriguée. Le cavalier sautait déjà à terre et dans la seconde, tandis qu'Apollon lui faisait fête, elle le reconnut à son allure et à ses boucles noires en bataille, à son front têtu :

— Féliciano !

De toutes les complications qu'il lui avait créées, plus une ne se défendait dans l'esprit d'Isabelle, éparpillées au vent par les révélations d'Anne et de Villeroy et ce fut un élan de joie pure qui la porta vers le garçon.

— Féliciano ! Dieu soit loué ! Où étiez-vous passé ? Quelle peur vous nous avez faite !

Il était fourbu, selon toute apparence. Il fit quelques pas chancelants et se laissa choir à ses genoux, baisant le bas de sa robe en signe de respect et peut-être également pour que lui soient pardonnés sa conduite passée et ses mensonges dictés par la peur.

Emue, Isabelle l'examinait : maigre, vêtu comme un gueux, sans couvre-chef ni manteau, il faisait pitié !

— Comment avez-vous pu me trouver ? demanda-t-elle comme il se relevait.

— Oh ! Ce fut un jeu d'enfant, madame la comtesse ! Je suis allé au Castel, puis j'ai suivi vos traces. Il a plu. La terre est molle, on y lit comme dans un livre.

Il baissa la voix :

— J'ai vu les ruines... C'est affreux !

Les yeux d'Isabelle se durcirent.

— Oui, c'est affreux, une tragédie. La comtesse est morte, mais Anne doit l'ignorer. Je ne lui annoncerai pas avant qu'il ne se porte mieux.

Le visage de Féliciano se creusa de rides. En l'espace d'une seconde, il accusa dix ans de plus.

— Mais, il va mieux, s'empressa-t-elle d'ajouter, croyant deviner son dilemme... J'ai pu le voir à Orléans et je vous assure qu'il est en bonnes mains...

Le garçon ne répondit pas. Simplement il baissa la tête, rentra les épaules.

La gorge d'Isabelle s'enroua bizarrement devant cette détresse qu'elle pouvait comprendre.

— Savez-vous où aller ?

Sans desserrer les lèvres, il secoua lentement sa tignasse ébouriffée.

— Eh bien, venez chez moi ! Non, non pas de résistance. Vous y demeurerez jusqu'à ce que votre maître soit en mesure de vous reprendre. Vous n'avez rien à craindre ici, alors, acceptez-vous ?

La main déjà sur l'arçon de sa selle, heureuse soudain de pouvoir annoncer cette bonne nouvelle à Jeanine, elle se tourna vers lui. Immobile, il la fixait d'un œil stupide. Craignait-il un piège ? Mais quel piège aurait-elle pu lui tendre ?

Elle s'irrita de cette méfiance inutile.

— Féliciano, voyons ! Puisque je vous donne ma

parole ! Monsieur de Villeroy m'a tout raconté... Oui, tout, m'entendez-vous ?

Il cilla, pâlit. Très vite, elle enchaîna :

— Assurément, vous êtes l'unique personne susceptible de renseigner la Reine-Mère, mais je m'engage à vous prendre sous ma protection. Nul ne viendra vous chercher chez moi !

Blanc comme un linge, Féliciano ébaucha un geste d'incompréhension :

— Vous savez que je vous ai menti et vous ne me gardez pas rancune ? murmura-t-il, abasourdi.

Isabelle sourit avec indulgence.

— Vous aviez des circonstances atténuantes, n'est-ce pas ? Allons, dépêchez-vous, il se fait tard !

— Oui, madame la comtesse.

Humble, comme un fauve maté, l'échine basse mais la prunelle étincelante sous le rideau des cils, il la suivit...

La nuit était sombre quand ils pénétrèrent dans la cour du petit hôtel.

Le visage ahuri de Jeanine apparut dans l'entrebâillement de la porte de la salle basse.

— Devine qui je ramène par le bout du nez ? railla gentiment Isabelle, en jetant ses gants sur un tabouret.

Avec un sourd gémissement, la petite chambrière s'était déjà précipitée dans les bras de son bel Italien.

Discrète, Isabelle les laissa à leurs effusions.

Pour la première fois depuis des semaines, Isabelle mangea de bon appétit. Foin des convenances, serviteurs ou maîtresse, qu'importait ! Jeanine et Féliciano partageaient sa table. Un tonnelet de paillet étrenné en l'honneur du garçon fut vidé d'un trait.

Il raconta son histoire. Il s'était caché quelque

temps dans la forêt d'Orléans, vivant de chasse et de rapines, ne se résignant pas à quitter les abords de cette ville où il savait son maître prisonnier. Puis la faim et le froid se faisant par trop cruellement sentir, il avait décidé de retourner en Brie, de soulager sa conscience et tout avouer...

— J'avais une peur bleue d'être repris, passé à la question, allégua-t-il d'une voix rauque. Les gens de la Reine-Mère, je les connais, ils ne badinent pas avec leurs prisonniers ! Une première fois, j'avais réussi à leur filer entre les doigts, une chance, mais (il fit une grimace), je ne crois guère à la chance renouvelée dans des circonstances analogues ! A Auxerre, j'ai perdu la tête ! J'avais cru reconnaître dans la rue, l'un des hommes qui m'avaient arrêté... Il faut m'excuser, madame, mais je n'ai pas pu agir autrement. Si je vous ai menti, c'est par affection pour mon maître... Je craignais qu'une fois au courant, vous ne preniez peur à votre tour et refusiez de vous rendre à Orléans !

Il était si penaud, si repentant, tellement avide de prouver sa bonne foi, qu'Isabelle lui pardonna tout en bloc, si ce n'était déjà fait depuis longtemps !

Et quand elle regagna sa chambre pour la nuit, elle se jugeait entièrement satisfaite de la tournure que prenaient les événements. Féliciano à sa merci, elle comptait employer tout son temps, quoiqu'elle lui ait promis, à lui délier la langue. D'une façon ou d'une autre, tôt ou tard, il parlerait, il lui livrerait celui ou celle pour qui Anne risquait sa vie et sa liberté. Elle connaîtrait les circonstances imprévisibles qui avaient contraint Anne à modifier ses projets ; elle saurait pourquoi, après lui avoir demandé de l'aide, il avait refusé qu'elle lui porte secours.

— Pardonnez-moi, madame, mais il faudrait peut-être que j'aille aider Marion à la vaisselle ?

Jeanine venait de s'acquitter de sa tâche et Isabelle, si elle n'était pas dupe de ce zèle contestable, fit mine de mordre à l'hameçon.

— Va donc, dit-elle, la voix ensommeillée. Je dormirai probablement quand tu reviendras ; aussi, tâche de ne pas me réveiller.

Un tablier qui s'envole, une porte qui claque, des pas qui cascadent, puis le silence pesant d'une maison qui s'endort...

La petite fûtée ! Pelotonnée sous ses chaudes couvertures, Isabelle riait doucement. Certains diront qu'elle n'avait pas une morale bien établie et qu'il aurait été de son devoir de veiller sur la vertu de sa servante, mais aurait-elle pu éteindre sans pitié la flamme de bonheur qui pétillait dans les yeux de Jeanine à la seule vue de Féliciano ?

Elle connaissait trop bien les ravages de l'amour pour rester de marbre devant les souffrances des autres.

L'amour ! Avec un mouvement de colère, Isabelle se retourna, entraînant draps et courtepointes, maudissant Raoul d'être si loin, inaccessible, le maudissant de toute son âme, parce qu'elle souffrait ce soir plus que jamais de son absence.

Elle dut s'endormir au milieu de ses larmes, car en s'éveillant en sursaut, quelques heures plus tard, ses joues étaient encore humides. Elle se redressa, immédiatement en alerte. Quelque chose l'avait tirée du sommeil... Mais quoi ? Un froissement, un bruit inhabituel ?

— Apollon ?

Elle s'attendait à l'entendre trotter jusqu'au lit, poser ses lourdes pattes sur la courtepointe ou bien griffer les rideaux avec une impatience intempestive. Rien. Le grand dogue ne se manifesta pas. Il ne répondit par aucune de ces marques d'affection qui lui étaient cependant familières. Le silence retomba comme un massif paravent de plomb derrière lequel, malgré elle, Isabelle se mit à trembler.

— Apollon ! répéta-t-elle.

Ecartant les panneaux de toile d'une main prompte, elle risqua sa tête à l'extérieur, le cœur battant. On n'y voyait rien. Etienne avait oublié de venir alimenter le feu comme elle lui en avait donné l'ordre ! Tout au fond de la chambre, les cendres rougeoyantes du feu mourant formaient un étrange bouquet incandescent, et prêtant l'oreille, elle perçut un souffle ténu, imperceptible, comme si on s'évertuait à le maîtriser du mieux que l'on pouvait.

Isabelle refusa de se laisser envahir par la peur.

— Jeanine, est-ce toi ? dit-elle en cherchant le chandelier et le fusil qu'elle avait posés sur le tabouret avant de se coucher, comme chaque soir.

Elle fut surprise par le son étranglé de sa propre voix.

— Jeanine ! Réponds, voyons ! Je ne te gronderai pas, tu le sais bien !

La main d'Isabelle, frémissante, tâtonnait et ne rencontrait que le vide, la sécheresse du bois. Et cependant, elle était certaine, absolument certaine d'avoir placé là le chandelier et le fusil !

Alors, brusquement, elle comprit. Tout s'éclaira. Quelqu'un avait enlevé le chandelier pour l'empêcher de faire de la lumière, quelqu'un avait fait sortir le chien, quelqu'un était là, tapi dans l'ombre de la chambre et la guettait !

Et ce fut atroce, un moment de terreur brute, comme pendant l'onduleuse et sinueuse, la répugnante approche d'un serpent que l'on ne peut fuir... Quelqu'un. Mais qui ?

Vive comme l'éclair, sans réfléchir plus avant, Isabelle sauta hors de son lit, avec l'intention de courir jusqu'à la porte, de l'ouvrir, de crier... Elle n'avait pas fait deux pas qu'une main la stoppait, qu'un bras d'acier la ceinturait, qu'on lui ferma brutalement la bouche avec un bâillon de chiffon. Tout cela très vite...

Isabelle battit des pieds, soulevée par la force de son agresseur, mais les bras repliés dans le dos, les épaules bloquées, elle n'avait guère la possibilité de s'agiter sans ressentir aussitôt une sourde et intolérable douleur le long de la colonne vertébrale.

— Soyez raisonnable, lui sussura une voix mielleuse, et tout se passera bien !

Instantanément, Isabelle redoubla d'énergie et rua, étourdie, tout autant par la souffrance que l'étonnement. Elle venait de reconnaître la voix de Féliciano ! Féliciano à qui elle avait ouvert sa maison ! Féliciano qui s'était repenti tantôt avec tant de sincérité ! Non ! Ce n'était pas possible !

Il l'entraîna vers le lit. Le souffle coupé, Isabelle se dit qu'il avait sûrement perdu la tête, qu'une sorte de fièvre le poussait à agir comme un dément.

Glacée d'épouvante, elle lui résista de toutes ses forces... D'une bourrade, il l'assomma presque ; avec des gestes d'une rapidité diabolique, il empoigna le col de sa chemise de baptiste, tira, la toile se déchira, jusqu'à la taille, jusqu'aux reins, jusqu'aux chevilles...

Les yeux exorbités, haletante, étouffée autant par le bâillon que par la peur, Isabelle bénit singulièrement la complète obscurité. Il allait la violer, cela ne faisait pas l'ombre d'un doute, au moins qu'il le fasse dans le noir ! Il respirait fort contre elle et elle endurait son souffle rauque, se promenant sur sa peau nue. Avec un haut-le-cœur irrépressible, elle ferma les yeux.

D'une main hâtive, il la dépouilla de sa chemise, lui attacha les mains, ainsi que les chevilles, puis il l'envoya rouler sur les draps avec un ricanement de triomphe...

— Voilà une bonne chose de réglée ! railla-t-il.

Paralysée par ses liens — de fines cordelettes apparemment, qui lui entamaient les chairs —, Isabelle l'entendit battre le fusil. Une douce, insupportable lumière se répandit et elle le vit. Non ! Cet homme au visage cynique et dur, ce garçon-là n'était pas le Féliciano qu'elle connaissait ! Il ne lui ressemblait pas ! Qu'avait-il pu se passer en lui pour qu'il changeât à ce point en quelques heures ? Un sourire goguenard plaqué sur ses lèvres tiraillées par un tic nerveux qui lui déformait tout un côté du visage, l'enlaidissant, Féliciano se pencha sur Isabelle.

— Morceau de roi ! apprécia-t-il avec un calme imperturbable... Si je n'étais si pressé d'en finir avec vous, madame la comtesse !

Malade de honte, Isabelle détourna vivement la tête. Au moins ne plus le voir ! Féliciano accentua son sourire avec une évidente satisfaction.

— Vous pouvez toujours tenter de vous débarrasser de vos liens, vous n'y arriverez jamais seule ! ironisa-t-il tout en louchant sur ses bras qu'elle tordait désespérément.

Il ricana.

— J'ai appris l'art des nœuds avec un marin gênois et je m'y entends comme personne ! Maintenant, si vous consentiez à vous tenir tranquille, nous pourrions débattre de ce qui m'amène !

Et d'une main féroce, il agrippa son menton, la contraignit impitoyablement à tourner la tête vers lui. Elle soutint son regard. Il plissa les paupières, l'air madré du renard qui savoure sa proie avant de fondre sur elle :

— Oh ! Oh ! Pas très collaboratrice, madame la comtesse, n'est-ce pas ? Je devine parfaitement ce que vous essayez de me faire comprendre : comment soutenir une conversation avec un bâillon sur la bouche ? Rassurez-vous, c'est moi qui vais parler, vous m'écouterez, compris ?

Suffocante de rage, Isabelle tenta d'échapper aux doigts qui lui garottaient la mâchoire. En vain...

Moqueur, Féliciano se pencha un peu plus sur elle, effleura la peau tendre de son cou d'un doigt négligent.

— Comment ? Que dites-vous ? railla-t-il avec un bel aplomb... Vous ne voulez pas m'écouter ? Comme c'est dommage ! Vous allez y être astreinte cependant et vous verrez, je gage que ce que j'ai à vous révéler vous comblera d'aise !

Il partit d'un grand rire et lâcha son menton.

Elle aurait voulu pouvoir cracher sur lui, le battre, le gifler, l'agonir d'injures, mais elle devait se contenter de fixer son attention ailleurs, sur n'importe quoi d'autre que son visage dilaté par la suffisance, et elle tirait sur les cordelettes avec l'énergie vaine du désespoir, ne parvenant qu'à s'écorcher la peau. La fripouille ! Tant de duplicité ! Elle serait morte si la colère tuait aussi facilement ! Mais force lui était de subir le bon vouloir de cette brute, d'attendre patiemment que sa folie le quitte : car il était fou. Sinon pourquoi agirait-il de la sorte ?

Il s'était assis, jambes croisées sur le bord du lit, et il la contemplait, narquois, l'œil brillant d'une étrange lueur.

— Vous allez payer pour vos crimes, dit-il soudain d'une voix sourde, presque un chuchotement, si basse qu'Isabelle tout d'abord, crut avoir mal entendu, mais l'expression du visage de Féliciano, subitement tendu, assombri par une haine sauvage, aiguë, sans limites, presque indécente, ne laissait subsister, hélas ! aucun doute. Elle frémit, des pieds à la tête, tout son corps hérissé. Quels crimes ? Il divaguait !

Atterrée, elle risqua un regard autour d'elle... Nul espoir de fuite, attachée comme elle l'était ! Mais Etienne, où était-il ? Et Jeanine ? Quel sort cet esprit détraqué leur avait-il réservé ? Elle avait une furieuse envie de fondre en larmes, mais courageusement, stoïque, elle se contint, les ongles s'enfonçant dans ses paumes... Il ne fallait à aucun prix lui offrir ce plaisir supplémentaire !

— Oui, vos crimes, poursuivait-il d'un ton appliqué. Vous et votre époux, madame, vous avez précipité Anne dans le filet qui s'est refermé sur lui ! Il est trop tard désormais pour revenir en arrière. J'avais espéré, rien qu'un instant, qu'une fois à Orléans, vous envisageriez de le tirer des pattes de ces loups affamés, mais rien. L'esprit de conservation a dû être le plus tenace ! Anne est perdu, par votre faute, et moi, je suis revenu pour exercer ma vengeance, sa vengeance.

Isabelle banda ses muscles. Si seulement ces liens n'étaient pas si solides ! Qu'avait-il dit ? Qu'elle et Raoul étaient responsables ! Où avait-il été chercher cette ineptie ? N'avait-il pas pénétré ses sentiments ? Elle avait cru. Si, au moins, il lui avait donné le temps de se défendre, de plaider leur cause ! Elle lui aurait parlé de Villeroy, mieux qu'elle ne l'avait fait, avec plus de détails, de preuves. Comment, lui qui était le seul à connaître le destinataire de la lettre pouvait-il les accuser, Raoul et elle ? C'était aberrant ! Un malentendu grotesque !

— Vous êtes à l'origine de tout, avec votre satanée beauté ! Si vous n'existiez pas, s'il ne vous avait jamais rencontrée, c'est sans remords qu'il aurait livré son frère à la justice du Roi ! Mais vous existez et jamais il n'oserait vous faire du mal ! Ame chevaleresque ! Comme si vous aviez hésité à lui arracher les entrailles en épousant son propre frère !

La voix stridente de Féliciano devenait un bourdonnement sourd aux oreilles d'Isabelle ; son visage était tordu, défiguré par la haine, ses yeux injectés de sang.

— Des mensonges, invoquerez-vous ? Non pas ! Je sais ce que j'avance et même, je vais vous en fournir une preuve concrète : l'argent du roi d'Espagne, savez-vous à quel usage il était destiné ? A soulever le peuple de Paris contre le Roi et l'amiral de Coligny ! J'ai mis longtemps à le soupçonner, la politique des grands ne m'est pas familière et l'on s'y perd à vouloir la débrouiller ! Ce n'est que ces jours-ci que la vérité m'est apparue... L'autre soir, au cabaret de la Lamproie, rue de la Huchette, à Paris, j'ai reconnu tout à fait par hasard, le comte de Villeroy sous un déguisement ! Dès cet instant, je n'ai plus douté ! L'agitation est suffisamment éloquente dans la ville ! Mais cette rencontre fortuite n'a aucunement influencé ma décision qui est prise depuis longtemps ! Et, que m'importent, après tout, les manigances de votre époux ! Tout ce qui compte à mes yeux, c'est de lui faire payer son égoïsme et sa duplicité !

Il se leva d'un coup, déployant ses muscles avec une lenteur exaspérante, la raillant du coin de l'œil, tandis que, pétrifiée, malade d'horreur, elle n'osait même plus remuer le petit doigt.

— Vous voilà calmée, dirait-on ! s'exclama-t-il, sarcastique. Sans doute avez-vous conclu que je n'avais pas le choix en vérité ? Le Comte doit mourir ! J'aurais pu le laisser à la justice du Roi. Mais quel plaisir en aurai-je retiré ? Ma vengeance aurait eu un goût de lâcheté et de compromission !

Il sourit, matois.

— Je vous laisse la vie sauve. Ne me demandez pas pourquoi. Je ne saurais moi-même vous l'expliquer. Peut-être est-ce pour vous récompenser de votre généreux concours ?

Il fit une pirouette à la manière des acteurs italiens, la salua d'une toque imaginaire :

— Merci, madame la comtesse et ancrez-vous bien mes paroles dans la tête, elles vous aideront à passer une bonne nuit !

Il amorça un pas, à reculons, un doigt sur les lèvres.

Isabelle, le cœur soulevé, avait l'impression de vivre une abominable bouffonnerie. Rien dans toute cette mise en scène n'était vrai ! Un cauchemar !

— Pensez-y, madame et... dormez bien !

Il vola vers la porte, s'arrêta sur le seuil, rebroussa chemin.

— Pardonnez mon indélicatesse, ajouta-t-il dans un éblouissant sourire, j'oubliais de vous remercier pour votre aimable hospitalité !

⁂

Si c'était ce sentiment d'impuissance, que ressentaient les cerfs acculés par la meute en délire, jamais plus, non jamais plus elle ne prendrait part à une chasse ! Les affres par lesquels elle était passée jusqu'alors n'étaient que vétilles en comparaison. Elle demeura un long moment hébétée, statufiée, foudroyée et puis, au dépourvu, vague sauvage que rien ne pouvait endiguer, la fureur remplaça l'hébétude et la souffrance. Raoul, cet homme abject qui laissait condamner son frère à sa place ? Raoul un traître ? Non ! Elle refusait catégoriquement de prêter une oreille complaisante à ce sinistre conte !

Mais Féliciano y croyait dur comme fer, il y croyait tellement, qu'il galopait en ce moment même sur la route de Paris. Ainsi Raoul était bien à Paris !

Le sang d'Isabelle ne fit qu'un tour dans ses veines. Elle serra férocement les poings. Pas question de s'apitoyer sur son propre sort désormais, et avant tout, se défaire de ces liens...

Maîtrisant son souffle indiscipliné, elle se contorsionna jusqu'au bord du lit ; là, au prix de mille efforts, elle parvint à s'asseoir et une fois assise à se mettre debout. Le plus dur était accompli ! Les jambes ligotées, il lui restait tout de même la possibilité de sautiller jusqu'à la porte. Ce qu'elle entreprit. Arrivée devant le vantail clos, essoufflée, épuisée, elle faillit éclater en sanglots parce que Féliciano avait fermé la porte et emporté la clé !

Comment n'y avait-elle pas pensé ? Le visage blême, les narines pincées, elle s'adossa au vantail. La fraîcheur des tentures lui fit du bien, comme une caresse sur sa peau nue, lui redonnant courage.

Les mots tournoyaient dans sa tête à une vitesse démoniaque. Non ! Elle ne parvenait pas à y croire ! Elle ne voulait pas y croire ! L'invention d'un pauvre fou, d'un jaloux ! Mais le poison mortel que lui avait versé Féliciano glissait peu à peu dans ses veines et son cœur. A quoi bon chercher à se leurrer ? Nier l'évidence ? Lui seul connaissait le nom du destinataire de la lettre, lui seul savait à qui le duc d'Albe avait écrit !

Le cœur au bord des lèvres, Isabelle fléchit la nuque et les genoux. Ses jambes ne la soutenaient plus. Elle aurait voulu pouvoir se laisser aller à son dégoût et à sa peine mais elle en était tout à coup incapable. Les yeux secs, elle commençait à entrevoir l'odieuse, l'intolérable vérité et c'était plus qu'elle n'en pouvait supporter ! Alors, une brusque révolte lui sauta au cœur, la sauvant du désespoir et, à coups de talons et de poings, tant bien que mal, s'arrachant la peau, elle se mit à frapper la porte de toutes ses forces décuplées. Quelqu'un viendrait, Jeanine, Marion, qu'importait ! Quelqu'un l'entendrait !

Quelque part dans la demeure s'élevèrent les aboiements furieux d'Apollon. Dieu merci, Féliciano ne l'avait pas tué, seulement éloigné. Il y eut un intense brouhaha, des portes claquèrent, des voix retentirent, affolées. On grimpa l'escalier, on s'immobilisa devant la porte.

— Madame ? s'enquit la voix timide d'Etienne.

Isabelle ravala un sanglot nerveux. Puis, la bouche toujours close par le bâillon, elle entreprit de faire comprendre au garçon qu'elle était enfermée, dans l'impossibilité de lui répondre et ce, à coups redoublés sur le vantail.

— Que se passe-t-il ?

C'était la voix criarde de Marion, puis, en écho, celle, effarouchée, de Lisotto.

Isabelle, les poings en sang continuait à tambouriner.

— Madame la comtesse ?

— Peut-être est-elle malade ? dit la voix de Marion. Va chercher Jeanine.

— Où est-elle ?

— Comme si tu ne le savais pas ! Là où elle a monté le lit du gars qui nous est arrivé tantôt !

Isabelle, en nage, s'était arrêtée de frapper... Elle écoutait le cœur battant.

D'autres pas, la voix de Jeanine. Une Jeanine qui se jeta contre la porte :

— Madame ! Madame !

Isabelle perçut le cliquetis familier d'une clé dans la serrure... Sauvée !

Puis, soudain consciente du spectacle peu banal et oh ! combien édifiant qu'elle offrirait à ses gens, elle s'écarta prestement du vantail, se rencogna derrière les tentures. Jeanine montra le bout de son nez, à tâtons...

— Ma... Madame ?

A demi voilée par les rideaux, Isabelle émit un son inarticulé pour signaler sa présence. Jeanine tendit le cou dans sa direction. Sa bouche s'arrondit sur un cri qui refusa obstinément de jaillir.

Et, sur-le-champ, avec une incroyable, une merveilleuse présence d'esprit, elle rabattit la porte d'une seule poussée :

— Attendez là, dit-elle aux autres.

⁂

C'était la meilleure solution, l'unique moyen de faire échouer les desseins meurtriers de Feliciano : prendre la route de Paris sans retard, suivre sa trace, le pister comme le chien enragé qu'il était, jusqu'à ce que, de lui-même, il la mène vers Raoul.

Dans les mains d'Isabelle tremblait furieusement la coupe de marasquin qu'elle lampa d'un seul coup. Une migraine atroce comprimait ses tempes, cercle de fer qu'une main invisible et malveillante se serait plu à boucler d'un cran supplémentaire.

« La meilleure solution... » Cette petite phrase qui recélait tous ses espoirs, sa vie, elle la répétait inlassablement, comme une litanie, jusqu'à s'en persuader, jusqu'à en perdre la raison. Une succession d'images se superposaient dans sa tête avec une acuité et une violence intolérables. C'était Féliciano armé d'un poignard, agressant Raoul pendant son sommeil, l'attaquant au détour d'une ruelle déserte, tirant l'épée. Elle secoua la tête. Non ! Certainement pas. Dans un combat loyal, Raoul le taillerait en pièces. Non, cet être fourbe avait choisi un tout autre expédient, l'arme implacable que l'on ne peut détourner parce qu'on ne la voit pas : le poison, peut-être ? Efficace, sans bavures, qu'un complice anonyme dissimulé dans l'entourage de la victime aurait tôt fait de lui administrer ! Toutes les suppositions, jusqu'aux plus fantastiques, aux plus sanglantes étaient permises à l'esprit aux abois d'Isabelle.

Elle se leva, jeta un coup d'œil à la salle basse, plongée dans l'obscurité. Devant la porte, son petit panier d'osier dans lequel, pêle-mêle, elle avait hâtivement entassé sa lingerie, ses robes les plus chaudes comme si elle partait pour toujours. Devant la cheminée Jeanine, effondrée sur une escabelle, versait toutes les larmes de son corps avec un balancement convulsif des épaules et du buste, le visage enfoui derrière ses mains jointes.

— Je n'aurais pas dû, madame la comtesse ! geignait-elle, tournant vers Isabelle des yeux rougis. Il m'a menti ! Dieu me pardonne, madame !

Isabelle ne répliqua pas. Qu'aurait-elle pu lui dire pour alléger sa peine, sa honte, ses remords ? La consoler ? Avec quels mots ? Elle se trouvait elle-même misérable, abattue, au bord du désespoir, n'aspirant qu'à l'oubli total. Mais elle ne pouvait se le permettre, pas encore. Rien n'était fini. Tout commençait pour elle et pour Raoul, les pleurs, les nuits blanches, les combats sans merci.

Pour la troisième fois en cinq minutes, elle courut à la fenêtre pour guetter l'arrivée d'Adrian Bonneval. A ce moment précis, la porte s'ouvrit en coup de vent et il entra, les mèches ébouriffées, l'œil vague, à demi endormi. A la vue d'Isabelle habillée de pied en cap, la toque sur la tête et l'éperon de ses bottes dépassant de l'ourlet de sa robe, il changea de couleur et d'expression.

Isabelle se précipita vers lui, lui coupant la parole par ce geste impulsif. Il referma ses mains sur les mains glacées de la jeune femme, machinalement, la dévisageant avec un étonnement mêlé d'inquiétude.

— Que se passe-t-il ? Vous envoyez votre valet me réveiller en pleine nuit ; j'accours, vous imaginant malade, ou Dieu sait quoi, avec dans les oreilles l'invraisemblable histoire que ce pauvre garçon a racontée. Et que vois-je ?

Il désigna le panier :

— Vous partez ? Au milieu de la nuit ?

— Oui. Je vais à Paris. Je n'ai pas le temps de vous expliquer mes raisons, Adrian. Je désirais simplement vous avertir...

Sa voix s'éteignit. Elle détourna la tête, lui présentant un profil durci par sa résolution. Que dire ? Tout lui avouer ? Sûrement pas ! Elle refoula une singulière émotion, le désir brusque, d'abandonner son projet car la peur était toujours présente.

Cependant, Bonneval reprenait graduellement possession de sa maîtrise. Son visage pâle s'altéra.

— A Paris ? s'exclama-t-il... J'ignore ce qui a pu vous contraindre à cette rapide décision, mais je vous dis non, madame, non ! Songez-y, à Paris, présentement ? Alors que depuis le mois de septembre cette ville est un creuset de passions contradictoires, sans cesse en alarme ? Vous, seule à Paris, vous n'y pensez pas ?

Il avait lancé cet avertissement d'une seule traite, avec toute l'amitié qu'il lui vouait, toute la persuasion dont il était capable, sans lui donner la possibilité de l'interrompre.

Isabelle le fixait, anéantie, frappée en plein cœur.

Des larmes incontrôlables coulèrent de ses yeux, creusant des sillons pâles sur ses joues. Paris en alarme ?

Son esprit, rapidement, fit un bond de géant, écartant les brumes qui l'environnaient. Paris, Raoul, le duc de Guise... Les paroles sybillines de Féliciano, auxquelles de prime abord, elle n'avait pas pris garde, lui revinrent en mémoire... « L'agitation est suffisamment éloquente dans la ville. L'argent du roi d'Espagne devait servir à soulever le peuple de Paris contre le Roi et Coligny... » Le voile se déchirait. Le mutisme de la duchesse douairière, les allusions de Villeroy... Elle plongeait dans la vérité comme on plonge en enfer, sans espoir.

— J'ignorais tout de ces manifestations, murmura-t-elle d'une voix murante... Comment se fait-il ?

Bonneval, ignorant son trouble et son visage défait, haussa les épaules avec fatalisme :

— Oh ! Toujours la même raison ! Vous voyez ce que je veux dire ? En septembre, sur les instances de l'amiral de Coligny, le Roi avait demandé au Parlement de Paris d'ordonner la démolition de la Croix de Gastine, jugée infâmante par les huguenots et pour cause ! Toujours à leurs yeux reste inscrit en lettres de feu sur cette pyramide expiatoire le martyre de Philippe de Gastine, de son frère Richard et de son beau-frère Nicolas Croquet, condamnés à mort pour avoir célébré la Cène en secret, à une époque où, les troubles s'intensifiant, elle était interdite. Vous avez dû entendre parler de cette lamentable histoire, comme tous les Français ? Elle n'est pas vieille, deux ans à peine !

Isabelle s'en souvenait... Oh ! Une histoire banale, comme il s'en déroulait tant. Les coupables avaient été pendus, la maison rasée. A sa place, une croix. Son parrain, à l'époque, lui en avait écrit les commentaires. Elle l'avait vite oubliée...

— Mais voilà, enchaînait Adrian, que les Parisiens catholiques, poussés par on ne sait qui, leurs prédicateurs sans doute, menacent la ville de la plus sanglante des représailles ! Les coups de main, les intimidations pleuvent sur les ouvriers chargés de la démolition et sur les autorités responsables qui hésitent, il faut les comprendre ! Je n'en sais pas davantage, si ce n'est qu'aux dernières nouvelles, le Roi avait trouvé un compromis et demandé que la Croix ne soit pas démolie mais transplantée dans l'enclos du cimetière des Saints-Innocents.

Il poussa un profond soupir :

— Quoiqu'il en soit, madame, je ne vous conseille pas de vous promener dans Paris ces temps-ci ! Renoncez à ce voyage, remettez-le à plus tard, si possible !

— Je ne peux pas. Il faut que j'y aille ! Mon mari... Le Comte est à Paris et il court un grand danger. Pourquoi ne m'aviez-vous point parlé de ces troubles auparavant ? Pourquoi avoir attendu cette nuit ?

Adrian Bonneval tombait des nues, mais il eut la présence d'esprit de ne pas s'étonner outre mesure. Il pressentit bien plus qu'un drame intime et il lui fut relativement facile de rapprocher la présence du comte de Villeron à Paris des dernières échauffourées de la capitale !

— Je vois, laissa-t-il tomber. C'est très grave !

Isabelle tressaillit, comme piquée par une guêpe, et lui décocha un regard presque venimeux qui en disait long sur son état d'âme. Elle s'écarta précipitamment de lui.

— Vous ne voyez rien, souffla-t-elle d'une voix assourdie. Rien du tout !

Il ne se démonta pas.

— Fort bien ! Alors, racontez-moi. Peut-être serai-je en mesure de vous aider ainsi que je l'ai fait jusqu'à présent ? Je suis votre ami, vous le savez pertinemment !

Lui raconter ? Pourquoi pas ? L'essentiel, la fâcheuse condition d'Anne, le rapport Anne-Féliciano et pour terminer, ce que les domestiques eux-mêmes n'ignoraient plus, la scène dégradante, avilissante à laquelle Féliciano l'avait contrainte à participer, ses menaces, sa folie.

Quand elle eut achevé son haletant récit, Isabelle était plus pâle que jamais, Jeanine pleurait de plus belle dans son coin, et Adrian, sans broncher, médita un long moment. Sans doute, sa brillante intelligence, son sens de la déduction n'étaient-ils pas dupes de ces dissimulations enfantines ? Elle s'en moquait ! Le fait d'avoir reconstitué l'horreur des dernières heures, ne serait-ce qu'en paroles, l'avait à nouveau complètement assommée. La tête dans les mains, elle pénétrait dans un monde de cauchemar duquel seul se détachait, tel un étendard de feu, son amour pour Raoul. Elle le vit mort, ensanglanté sur les pavés d'une ruelle et cette vision devint intolérable. Elle serra les poings... « Oh ! Mon amour, songea-t-elle, crucifiée. Que serais-je sans toi ? Si tu mourais, si tu disparaissais, que deviendrais-je ? C'est pour toi, c'est pour nous que je me bats. Sans toi, comment continuer à vivre ? »

Elle frissonna.

— Effectivement, déclarait Adrian, d'une voix lente. Vous vous trouvez devant un effroyable dilemme, et je compatis sincèrement à votre angoisse, de tout cœur. Mais, admettons que Féliciano ait menti ! Après tout, c'est concevable. Il se pourrait que le Comte en réalité ne soit point à Paris ? Avez-vous pris le temps d'étudier cette éventualité ? Quelle preuve, en vérité, possédez-vous de la sincérité de ce dément subtil, qui, entre nous soit dit, ne vous y a point habituée ? Si cela était, prenez-en conscience, sinon vous vous exposeriez aux pires dangers, aux pires déboires, et en vain !

Il penchait le buste vers elle, froidement méticuleux dans sa logique d'homme de loi. D'un coup de menton désabusé, Isabelle rejeta cette hypothèse.

— Quelle preuve ? chuchota-t-elle. Oh ! Adrian, vous connaissez cette preuve autant que moi-même ! Ne me torturez pas davantage ! Je vous sais gré de votre discrétion, mais je crois que vous avez parfaitement compris !

Adrian, nullement ému en apparence, ébaucha une moue perplexe :

— Retrouver le Comte, soit ! résuma-t-il... Mais alors, pas seule. Il est insensé, madame, de vous lancer dans cette aventure sans appui ! De quelle manière agirez-vous ? Dans quel sens orienterez-vous vos recherches ?

Il la pressait de questions, tel un juge accusateur. Isabelle s'irrita, effleura son front d'une main agacée :

— Je ne sais pas ! J'aviserai sur place !

Elle lui asséna un regard farouche et obstiné :

— Ne m'ôtez point mon courage ou ce qu'il en reste ! (Sa voix se fêla. Ses paupières subitement voilèrent ses yeux.) Il faut que j'aille à Paris ! Comprenez-moi, il le faut. Qu'importe ce que j'y découvrirai...

Et elle renversa la tête en arrière, torturée par ce qu'elle venait de formuler tout haut et qu'elle pensait tout bas depuis d'interminables minutes. « Qu'importe ce que j'y découvrirai. L'horreur, la mort, tant pis ! Je n'ai pas le choix ! »

Que Raoul se soit rendu coupable d'une telle forfaiture, elle voulait l'ignorer, l'enfouir dans sa mémoire. C'était un soupçon infamant que son amour n'admettait pas. Mais restait, vivante, terrifiante, l'autre preuve, la preuve que, sans même se rendre compte sur le moment du coup mortel qu'il lui infligeait, Adrian venait de lui donner sans qu'elle lui demandât. Elle savait maintenant pour quelle raison Raoul se trouvait à Paris depuis des mois, anonyme, caché dans la foule, manœuvrant le peuple au nom de ses sacro-saintes idées... Lui, qu'elle plaçait au-dessus de tous les autres. La vie ne lui épargnerait donc rien ? Pas une douleur ? Pas une cruauté ?

En elle, se disputaient âprement l'amour et la raison. Elle gardait terriblement rancune à son mari, de ne pas lui avoir fait suffisamment confiance pour lui avouer cette mission, aussi laide soit-elle. D'autre part, elle ne pouvait s'empêcher de le comprendre, de lui trouver des excuses et de trembler pour lui.

Adrian Bonneval abdiquait, vaincu.

— C'est bon, se résigna-t-il... Puisque rien, absolument rien ne saurait vous retenir !

Ils se dirigèrent ensemble vers la porte, muets, recueillis dans leurs pensées... C'est alors que le cri de Jeanine retentit, les frappant sur place.

— Non ! Oh ! Non, criait-elle. Madame n'y allez pas !

Isabelle, interloquée, fit volte face. La chambrière ne pleurait plus. Des larmes baignaient encore ses joues, mais elle paraissait s'être libérée d'un seul coup de son désespoir. Elle se précipita, suppliante, vers Isabelle :

— N'y allez pas, madame ! J'ai compris... Cet homme-là... Féliciano, c'est le Diable ! Il vous tuera ! Ne le tentez pas, madame... Par pitié ! Il vous tuera !

— Du calme, ma fille !

Pondéré, Adrian s'interposa entre Jeanine et Isabelle qui, de marbre, regardait droit devant elle. Les cris de sa chambrière, ses supplications ne l'atteignaient pas. C'était comme une danse folle qui se déroulait sous ses yeux sans qu'elle y participe. Tous les arguments qu'ils pourraient réunir pour la détourner de sa décision, elle les connaissait déjà. Le moindre faux pas lui serait fatal. Elle comprenait ce que le bon sens paysan de Jeanine revenant à la surface, bousculant son chagrin, lui dictait : Féliciano n'était pas le Diable, il était pire que cela ! Un être mauvais, vindicatif, sournois, capable de tout. Il la tuerait, oui, sans l'ombre d'une hésitation, s'il la trouvait en travers de sa route. Tout cela, elle le savait... Et tout le reste : une ville inconnue l'attendait, semée de pièges et d'embûches, une ville passionnée, prête aux pires extrémités. Mais elle savait également qu'elle ne pourrait vivre sans Raoul, sans son sourire, ses mains, son regard étrange et pénétrant, sa générosité, sa chaleur... Non, jamais elle ne pourrait vivre sans lui ! Qu'importe ce qu'il avait fait ! Elle l'aimait, corps et âme, elle lui appartenait.

— Jeanine a malheureusement raison, confirma la voix sourde d'Adrian Bonneval, la tirant de ses pensées. Ce garçon est un fauve dangereux, et vous êtes sa proie tout autant que le comte ! Un détail me chiffonne pourtant : je me demande pourquoi a-t-il pris la peine de vous mettre au courant de ses sinistres projets ? Il devait bien s'attendre à ce que vous enfourchiez votre cheval aussitôt après qu'il eut tourné le dos ! Ne serait-ce pas, plutôt, pour vous tendre un ultime traquenard ? Vous désirez rejoindre votre mari à Paris ? Je ne peux décemment vous l'interdire. Mais, je vous en prie, soyez prudente ! Tenez, puisque j'y pense, toutes les nouvelles que je vous ai apprises, je les tiens de mon très cher cousin, Claude Marcel, le Prévôt des Marchands. Il loge sur le Pont-aux-changes. Présentez-vous de ma part. Son épouse est une femme en or, ses filles sont charmantes qui vous accueilleront comme une amie. Jeanine et moi-même serions tellement plus soulagés de vous savoir à l'abri, n'est-ce pas, ma bonne Jeanine ?

— Oui ! approuva la chambrière.

Isabelle les observa tour à tour, tous les deux. Le visage grave, ingrat, mais si sympathique d'Adrian, les yeux humides, tout ronds de Jeanine, ses bouclettes folles d'un blond doré. Ils étaient ses amis.

Remuée jusqu'au fond du cœur, elle serra Jeanine dans ses bras, l'embrassa sur les deux joues.

— Ne pleure pas ! Rien ne m'arrivera de fâcheux !

C'était elle qui se rassurait...

Elle promena un dernier regard sur la salle basse,